ELOGIO PARA EL PERDÓN DE LO IMPERDONABLE

La Biblia, así como la investigación médica, nos dice que el perdón es importante para su salud espiritual, emocional, relacional y física. Sin embargo, ¿qué parece el perdón centrado en Cristo en un mundo donde muchas personas se ven como víctimas y no asumen la responsabilidad de los errores cometidos, y mucho menos para pedir perdón? En este práctico libro, Dave no anda de puntillas alrededor de cuestiones difíciles. Enfrenta sin rodeos los mitos y los conceptos erróneos sobre el perdón y da respuestas prácticas que pueden guiarle a una profunda restauración y a un nuevo sentido de libertad. Este es un libro que leerá en más de una ocasión.

DR. GARY J. OLIVER

Director ejecutivo, Centro de Estudios del Matrimonio y la Familia de la universidad John Brown

Coautor de *Raising Sons y Loving It* y *Raising Kids to Love Jesus*

EL PERDÓN
DE LO IMPERDONABLE

Dr. David Stoop

Publicado por
Editorial Unilit
Miami, Fl. 33172
Derechos reservados

© 2006 Editorial Unilit (Spanish translation)
Primera edición 2006

© 2005 por David Stoop
Originalmente publicado en inglés con el título:
Forgiving the Unforgivable
por Regal Books, una división de Gospel Light Publications, Inc.
Ventura, California 93006, USA.
Todos los derechos reservados.

Los nombres en las historias se cambiaron para proteger la identidad de los personajes.

Traducción: Nancy Pineda
Revisión: Rojas & Rojas Editores, Inc.

Las citas bíblicas se tomaron de la Santa Biblia Nueva Versión Internacional. © 1999
por la Sociedad Bíblica Internacional.
Las citas bíblicas señaladas con LBD se tomaron de la Santa Biblia, *La Biblia al Día*.
© 1979 por la Sociedad Bíblica Internacional.
Las citas bíblicas señaladas con DHH se tomaron de *Dios Habla* Hoy, la Biblia en Versión
Popular. © 1966, 1970, 1979 por la Sociedad Bíblica Americana, Nueva York.
Las citas bíblicas señaladas con RV-60 se tomaron de la Santa Biblia, Versión Reina
Valera 1960. © 1960 por la Sociedad Bíblica en América Latina.
Biblia para todos, © 2003 Traducción en lenguaje actual, © 2002 por las Sociedades
Bíblicas Unidas.
Usadas con permiso.

Producto 495444
ISBN 0-7899-1395-X
Impreso en Colombia
Printed in Colombia

Categoría: Vida cristiana/Vida práctica/Crecimiento personal
Category: Christian Living/Practical Life/Personal Growth

CONTENIDO

Sin perdón, no existe futuro.

Obispo Desmond Tutu

Si ustedes perdonan a otros el mal que les han hecho,
su Padre que está en el cielo los perdonará
también a ustedes; pero si no perdonan a otros,
tampoco su Padre les perdonará a ustedes sus pecados.

Jesús de Nazaret (Mateo 6:14-15, DHH)

CAPÍTULO UNO

APOLOGÍA
INACEPTABLE

Las palabras que habló de la señora Harris, los corderos no
las pudieron perdonar… ni los gusanos olvidar.

CHARLES DICKENS

El perdón no le viene de forma natural a nadie. Quizá la razón principal sea que es injusto en esencia y en su totalidad. Soy el único perjudicado, ¿y ahora debo perdonar? ¡De ninguna manera! Y si la ofensa es horrenda, el perdón no solo es antinatural, sino que parece imposible. ¿Y qué si la otra persona no se siente apenada o ni siquiera está viva? ¿Cómo perdono en esa situación? ¿Es imposible? ¿O es posible?

Hace unos años, me enfrenté a algunas de las cosas dolorosas que experimenté con mi padre mientras crecía. Hubo una repentina acometida de recuerdos de cosas que había tratado olvidar. Desde que murió mi padre, veinte años atrás, había bloqueado todo lo negativo de nuestra relación y trataba de recordar solo las cosas buenas. Sin embargo, cuando el velo de mi negación se rompió por algunos comentarios que hizo mi hermana, me inundaron los recuerdos de su temperamento irlandés, de las crueles zurras en el sótano, del miedo que le tenía y de la úlcera que me descubrieron a los diez años de edad. Solo entonces comencé a relacionar esa úlcera al estrés de vivir con su temperamento imprevisible. El mito siempre había sido que la dieta que llevaba me produjo la úlcera, o al menos eso fue lo que me dijeron siempre.

Sabía que tenía que hacer algo respecto a los sentimientos con los que luchaba. *Pero él está muerto*, pensaba. *¿Qué debo hacer con todos esos horribles sentimientos?* Recordé lo que le decía a otros en mi oficina de consejería: que el perdón es la única manera de resolver los asuntos del pasado. *¿Pero cómo voy a perdonarlo si él ya no está aquí para que lo perdonen?*, me preguntaba. Sin embargo, un año más tarde fui capaz de perdonarlo, y cuando lo hice, fue como si mi vida tuviera un nuevo comienzo. Comprendí las palabras de Pat Conroy, quien escribió en una de sus novelas: «El día que perdoné a mi padre, mi vida comenzó»[1]. Lo que parecía imposible se hizo realidad.

Entonces, ¿qué si nos han llamado a perdonar un acto más serio, como un asesinato? ¿Cómo perdona uno cuando asesinan a su propio hijo? ¿Y qué si el que cometió el crimen es también parte de la familia? ¿Cómo perdona uno a un ser querido por matar a otro ser querido?

Wayne y Arlene asistían a nuestra iglesia. Tenían dos hermosas hijas, ambas casadas y criando familias. No había nada en la familia que hiciera pensar que podría suceder algo tan horrible. No obstante, sucedió. El yerno de Wayne y Arlene le disparó y mató a su esposa, la hija de Wayne y Arlene, durante una discusión en la cocina. Apenas puede imaginarse uno el dolor que sintieron Wayne y Arlene.

Entonces, en medio de su dolor, no solo Wayne y Arlene intervinieron y se encargaron de la crianza de sus nietos, sino que también estuvieron dispuestos a ayudar a su yerno durante su juicio y condena. Cuando lo liberaron, lo invitaron a vivir con ellos y sus hijos hasta que pudiera empezar su vida de nuevo. La realidad del perdón que dieron Wayne y Arlene la han demostrado sus acciones con el paso de los años.

Pero ¿qué si un total desconocido nos mata a un hijo? ¿Qué si su bella y joven hija estuviera trabajando al otro lado del mundo con el programa Fulbright procurando mejorar la vida de las personas atrapadas en la pobreza y de repente usted se enfrentara con la realidad de su muerte brutal?

Amy era un joven de nuestra comunidad que dedicaba su vida a ayudar a los residentes de un pueblo de negros precaristas en Sudáfrica en su lenta marcha para salir de la pobreza en cuanto se eliminó el *apartheid*. Después de pasar un año allí, sentía que su comunidad y sus compañeros de trabajo la estaban aceptando. Entonces todo el mundo escuchó las noticias de que cuatro jóvenes de esa misma comunidad la mataron a golpes.

El mundo observó cómo sus padres entraban en la sala de audiencia de la Comisión de Verdad y Reconciliación y en público le ofrecían perdón a aquellos hombres, y declaraban que apoyarían a la Comisión de Verdad y Reconciliación si decidían concederles la amnistía, lo cual hicieron. Sin embargo, lo hicieron en la primera plana de nuestro periódico local solo cuando los padres de Amy hablaron sobre cómo iban a ayudar a continuar la obra que comenzó su hija montando un negocio local que hacía «Pan de Amy, pan de la esperanza y la paz»[2].

¿Qué si el ataque fuera personal? ¿Qué si la violaron e intentaron arrebatarle la vida? Magde salió en las noticias cuando la asaltaron y la apuñalaron en un intento de violación. Durante veinte minutos, luchó contra su atacante en el baño de damas de un restaurante local. Cuando el atacante trató de escapar, lo arrestaron en el estacionamiento. A Magde la llevaron a la sala de urgencias, bañada en sangre.

En el juicio, meses más tarde, al hombre lo sentenciaron a diecisiete años en prisión. El juez después le preguntó a Magde si quería hacer una declaración. Ella salió de nuevo en las noticias cuando le expresó al jurado que había perdonado al hombre y luego dijo sosteniendo una *Biblia al Día*: «Su señoría, este hombre dijo que sabía que necesitaba ayuda, y yo sé que toda la ayuda que necesita puede encontrarla en la Palabra de Dios». Desde entonces Magde ha visitado y se ha carteado con su asaltante, que ha expresado remordimiento por su delito y asombro porque ella lo ha perdonado.

¿Cómo puede una persona perdonar una traición? Judy trató de describir el dolor que sintió ese terrible día cinco años atrás. Dijo que todo en su interior le daba vueltas y que casi se cae mientras salía de su auto. Y mientras trataba de estabilizarse, escuchó un horrible gemido. De repente se dio cuenta que el gemido era suyo. Contó que sintió que el sonido procedía de lo profundo de su alma y expresaba con precisión la agonía que estaba sintiendo. Descubrió que su esposo había estado involucrado en la pornografía desde antes de su matrimonio, dieciocho años atrás. También descubrió que él había estado teniendo una aventura amorosa durante los pasados tres años. Todo lo que había creído acerca de su matrimonio y su familia yacía hecho pedazos a sus pies.

Judy recordaba cómo ella y su esposo bromearon una vez sobre lo que pasaría si uno de los dos tuviera alguna vez una aventura amorosa. Ella le dijo: «¡Mejor que no suceda nunca porque yo me iría en una fracción de segundo!». Pero ahora que sabía que había ocurrido, lo único que pensaba era en cómo curar la inmensa herida que tenía en el alma, y cómo salvar el matrimonio. Tres años más tarde, Judy había perdonado a su esposo, y juntos habían comenzado a esforzarse por crear toda una nueva y saludable relación como esposo y esposa.

¿Qué si usted es el perpetrador? ¿Qué si fuera usted el que hizo algo imperdonable? ¿Cómo actúa el perdón cuando uno es el único que necesita el perdón, y siente que no lo pueden perdonar? Había sucedido quince años atrás, pero Irene no podía hablar sobre los abortos sin romper en convulsivos sollozos y luego con gran enfado recriminarse por ser tan «¡malvada y estúpida!». No importaba que su esposo no le hubiera dado ningún apoyo en los años pasados mientras pasaba por aquel inmenso dolor. No importaba que hubiera estado luchando con la posible enfermedad mortal de su hija, de nuevo sin ningún apoyo de su esposo, cuando ella tuvo los dos abortos. Nada le importaba a Irene excepto el terrible error que cometió hace años. Parecía imposible perdonarse. Solo cuando comenzó a trabajar en un centro de crisis de embarazo de la localidad, aconsejando a jóvenes a enfrentarse con la misma decisión, fue capaz de terminar su propio proceso de perdón por lo que parecían acciones imperdonables que en desesperación llevó a cabo años antes.

¿QUÉ ES IMPERDONABLE?

Cada una de estas historias es cierta, aunque algunos nombres se cambiaron, y cada una representa algo de alguna manera imperdonable.

Así que, cuando estaba dirigiendo un taller sobre el perdón y surgió el asunto de los actos imperdonables, yo estaba preparado.

«Entonces, ¿qué es imperdonable?», le pregunté al grupo mientras avanzaba hacia la pizarra blanca. La primera sugerencia llegó enseguida y nuestra lista comenzó a tomar forma:

- Vejación sexual de un hijo
- Adulterio
- Asesinato

«Y sobre todo si es a su hijo», añadió alguien.

- Aborto
- Violación
- Divorcio
- Abandono por un padre
- Abuso físico por un padre o un cónyuge
- Cualquier tipo de traición por un ser querido

Después las sugerencias comenzaron a venir con más lentitud. La gente empezó a sugerir cosas que eran solo resultados secundarios, o ejemplos específicos, de lo que ya estaba en la lista. O fueron elevando las acciones que eran más bien comunes, pero que parecían más serias debido a sus circunstancias.

Por último, estuvimos de acuerdo que las cosas en nuestra lista eran las «malas». Representaban las principales ofensas que casi todo el mundo está dispuesto a colocar en la categoría de «imperdonable».

Luego la discusión comenzó a expandirse a hechos mayores. Alguien sugirió el Holocausto como un hecho imperdonable en la vida de millones de personas. Hablamos sobre las cosas horribles que se hicieron en Sudáfrica en nombre del *apartheid*. Las atrocidades realizadas por ambos bandos en Bosnia y Kosovo eran lo bastante recientes para que todos las recordáramos. Eso guió a alguien a nombrar el conflicto árabe-israelí, el cual es cada vez más candente incluso mientras escribo esto. Y la violencia ha ido en aumento de nuevo en Irlanda del Norte y otros lugares no tan conocidos en el mundo. ¿Cómo perdonan los afectados en forma directa por estos hechos? ¿Son imperdonables estos actos?

A continuación empezamos a discutir la seriedad relativa de las afrentas que hemos recibido en la vida. Lo que quizá parezca un hecho perdonable para mí, tal vez sea imperdonable para usted. Algunos en el grupo dijeron que había cosas en sus vidas que no proponían para ponerlas en la lista debido a que eran demasiado privadas y otras personas quizá no entendieran el porqué consideraban imperdonables esas ofensas.

Quizá esté pensando lo mismo mientras lee esto. ¿Qué me dice de mis asuntos? ¿Y la cosa en mi vida que considero imperdonable? Mientras leía la lista anterior, es probable que piense que es demasiado general; no incluye algunas ofensas muy específicas que tuvieron lugar en su vida. Así que por último añadimos al final de la lista lo siguiente: «Otras cosas personales muy numerosas para anotarlas de manera específica».

¿POR QUÉ ALGO ES IMPERDONABLE?

¿Qué hace que algo parezca imperdonable? ¿Existe un elemento común en esos hechos? Cuando las personas lidian con asuntos personales, es típico que vean un acto imperdonable como algo que nos hicieron a nosotros o a otro que es (1) muy fuera de lo común y que estremece nuestros cimientos morales desde sus raíces, que va en contra de alguna creencia central que sostenemos con mucha convicción; y, por lo general, (2) lo hizo alguien en el que confiábamos o que amábamos.

En cada afrenta anotada en el taller, se hizo algo que no se debía haber hecho, o algo que no se hizo que se debía haber hecho. En cada ejemplo surgió un asunto moral. Aun si el ofensor estuviera muerto, está en la lista porque hizo o no hizo algo. Asesinato, vejación sexual, adulterio, aborto, violación, divorcio, abuso físico, abandono... es evidente que son violaciones morales.

El perdón siempre involucra el lado moral de la vida. Involucra nuestro sentido del bien y el mal, de la justicia y de la injusticia. También involucra nuestro sentido del amor, la compasión y la misericordia. Cuando alguien nos agravia con un acto al parecer imperdonable, se han violado al menos algunos de estos valores.

Luego experimentamos un conflicto interno sobre cómo resolver el conflicto. Por ejemplo, cuando alguien que amamos nos traiciona, nuestros conceptos del bien y el mal —o de la lealtad— y de la justicia claman por satisfacción. Sin embargo, nos desgarramos, pues hay otra parte de nosotros que se aferra a sentimientos de amor por esa persona, compasión por su situación difícil y el deseo de mostrar misericordia. Nos enojamos debido a la tensión entre esos dos conjuntos de valores, los cuales compiten por nuestra atención. Si vamos a perdonar, sentimos como que debemos negarnos nuestro sentido de justicia y rectitud. Pero *no* perdonar es negar nuestro sentido de amor y compasión. No hay manera fácil de salir de la dificultad.

Incluso desde una temprana edad, todos tenemos sentido del bien y el mal e interés en que todo sea justo. Escuche a un grupo de niños pequeños discutir en un campo de recreo. Es probable que discutan sobre algo que no es «justo». O quizá discutan sobre sus diferentes interpretaciones de las reglas.

Todos tenemos este sentido precoz de lo que es mal o buen comportamiento. Las relaciones se forjan sobre el cimiento de nuestro sentido innato de moralidad. Sin este experimentaríamos el caos en nuestras relaciones y es probable que evitáramos siempre a otras personas.

El perdón siempre involucra
el lado moral de la vida.
Involucra nuestro sentido del bien
y el mal, de la justicia
y de la injusticia.
También involucra nuestro
sentido del amor,
la compasión y la misericordia.
Cuando alguien nos agravia
con un acto al parecer imperdonable,
se han violado al menos algunos
de estos valores.

Cuando alguien nos agravia de alguna manera dañina, no solo viola un principio moral, sino que también sentimos que destruye algo muy importante para nosotros: nuestro sentido de inocencia, entre otras cosas. «¿Cómo me pudo pasar esto a *mí*?» es la pregunta que desgarra el mismo centro de nuestro ser. Nos habíamos sentido seguros y protegidos, pero ahora nos sentimos expuestos y vulnerables ante las caóticas fuerzas del mal. Nos arrebataron a nuestros hijos. Se hizo pedazos nuestra confianza en la bondad de la vida. A fin de cuentas, el mundo es malo. Es más, ya no existe un lugar que considere seguro, ni nadie en el que se pueda confiar. Ahora, todos estos pensamientos y más corren a toda prisa por nuestra mente, y la idea del perdón se convierte en una intrusión inoportuna.

LA ALTERNATIVA DEL PERDÓN: ¡LA VENGANZA!

Nuestra sed natural de justicia después de ofensas imperdonables suele conducirnos a pensamientos de venganza, y también todos esos pensamientos a menudo nos hacen sentir bien. A la venganza se le ha llamado una forma bárbara, pero peligrosa, de justicia. ¿De qué nos sirve? Con frecuencia, la venganza nos deja con un vacío persistente.

Me conmovieron las escenas finales de la película *Pena de muerte*. Los padres de una de las víctimas del crimen estaban convencidos de que la ejecución del asesino los liberaría hasta cierto punto de su dolor y sufrimiento. Sin embargo, el dolor y el sufrimiento del asesino de ninguna manera era similar al suyo, y la retribución, sin importar lo justa que fuera, no les depararía ningún sentido de satisfacción.

La venganza, por justa que sea, jamás puede brindar satisfacción, pues nunca es capaz de sustituir lo que se destruyó. También nos rebaja al nivel del perpetrador. Hay un antiguo

refrán que dice: «Causar un daño le pone por debajo de su enemigo; vengarse del daño lo pone a su nivel; el perdón lo coloca
por encima»[3]. Por lo general, ni siquiera quedamos mano a mano
cuando buscamos venganza; solo activamos un patrón de venganza. La contienda de toda la vida entre los Hatfield y los
McCoy, y el actual conflicto árabe-israelí, nos muestran que la
venganza solo conduce a más daño. El desquite solo hace que el
otro lado sienta que es el que está un punto más abajo y por eso
debe vengarse a fin de ponerse al mismo nivel. El ofensor se convierte en ofendido, y el ciclo se repite una y otra vez hasta que se
destruye todo.

Cuando nos ocurren cosas horribles, es típico que exista un
período cuando fantaseamos con todo tipo de castigo retributivo.
Sin embargo, quedarnos con pensamientos vengativos es como
pasar una y otra vez en nuestra mente un interminable y doloroso
vídeo. El deseo de venganza siempre está bien unido a dañinos
recuerdos del hecho; no podemos separarlos.

Un antiguo proverbio chino dice: «El que busca venganza
debe cavar dos tumbas», pues la venganza no solo daña a la otra
persona, sino que destruye también al que la busca. El camino
que comienza con la venganza solo conduce de cabeza a la tumba.
No todo enojo es malo, pero el enojo que se mantiene con fuerza
al final se convierte en amargura, y el enojo y la amargura nos
destruyen. Son asesinos.

Entre otras formas, la Biblia describe el enojo y los rencores
como «una raíz de amargura». Se nos advierte: «Asegúrense de
que nadie deje de alcanzar la gracia de Dios; de que ninguna raíz
amarga brote y cause dificultades y corrompa a muchos» (Hebreos
12:15). J. B. Phillips traduce ese versículo de esta manera: «Pro-
curen no olvidarse de la gracia que da Dios, pues si lo hacen allí,
es muy fácil que brote en ustedes un espíritu de amargura que
no solo es malo en sí mismo, sino que puede envenenar la vida
de muchos».

Todos hemos visto ejemplos de cómo una persona de espíritu amargado no solo a la larga se destruye, sino que también hace sufrir a quienes la rodean. ¿Por qué escoger la amargura y no el perdón? Es fácil olvidar cuánto se puede sentir la amargura. Proverbios nos dice: «Cada corazón conoce sus propias amarguras, y ningún extraño comparte su alegría» (Proverbios 14:10).

Siempre he encontrado interesante ese proverbio por la manera en que asocia la amargura con la alegría. La alegría de la amargura casi parece absurda. Si bien quizá disfrutemos la fantasía de la venganza por un tiempo, Tenemos que tener mucho cuidado. La amargura es muy seductora y puede atraernos con facilidad, pero el final de la amargura siempre es destrucción.

EL PERDÓN DEFINIDO

Si la venganza, ojo por ojo y diente por diente, no satisface, ¿qué otra opción tenemos que no sea el perdón? No existe otra manera de lidiar de manera eficaz con asuntos del pasado. El enfrentamiento suele conducir a más dolor. La venganza es un callejón sin salida. No podemos volver a nuestro pasado, y una vez que se hace un mal, no se puede deshacer. ¿Qué otros medios tenemos para resolver los asuntos que se quedan en nosotros de injusticias cometidas en contra nuestra? ¿Cómo lidia Dios con los resultados de *nuestros* errores? Lo hace a través del perdón. Esa es la única manera en que podemos lidiar con las heridas de nuestro pasado. La premisa de este libro es que no existe nada en la vida que esté fuera del alcance del perdón.

Antes que analicemos lo que nos impide perdonar, definamos lo que quiere decir perdón. David Augsburger señala: «"Perdonar" es … una forma extendida, expandida y fortalecida del verbo *donar*. Por intensificación del verbo nos referimos a donar, a dar en su nivel más profundo de negación propia, de hacer *públicas* y *entregar* partes profundamente arraigadas de nuestro ser»[4].

Renunciamos al derecho a la venganza, a la perfección, a la justicia y en su lugar *declaramos* a nosotros mismos, o a la otra persona, que quedamos libres del pasado y estamos dispuestos a avanzar hacia el futuro. El perdón es un regalo que nos damos a nosotros y a otros.

El diccionario Webster ofrece en inglés varias definiciones de «perdón»: «1. conceder absolución o remisión (de una ofensa, pecado, etc.): absolver. 2. cancelar o dispensar (una deuda, obligación, etc.): cancelar el interés que se debe sobre un préstamo. 3. conceder perdón a (una persona). 4. dejar de sentir resentimiento en contra de alguien: perdonar a los enemigos de uno. 5. dispensar una ofensa o a un ofensor»[5].

Cada una de esas definiciones, en especial la segunda, está de acuerdo con lo que describe el Nuevo Testamento como perdón. En Colosenses 2, Pablo describe el perdón. Escribe: «Ustedes, en otro tiempo, estaban muertos espiritualmente a causa de sus pecados y por no haberse despojado de su naturaleza pecadora; pero ahora Dios les ha dado vida juntamente con Cristo, en quien nos ha perdonado todos los pecados» (v.13, DHH). Podemos preguntarle a Pablo aquí cómo hizo Dios eso. La respuesta viene a continuación. «Dios *anuló el documento de deuda que había contra nosotros y que nos obligaba*; lo eliminó clavándolo en la cruz» (v. 14, énfasis añadido).

A fin de comprender mejor lo que dice Pablo, piense en una tarjeta de crédito nueva que recibió por error. Tiene un límite muy alto, y no puede resistir la tentación. En dos semanas gastó todo lo permitido. Ahora tiene una deuda que no le es posible pagar, aun si pudiera devolver lo que compró.

Entonces, un par de meses más tarde, alguien de la compañía de tarjetas de crédito llega a su puerta. Ni siquiera tiene la posibilidad de hacer el pago mínimo y se siente mal al respecto. Sin embargo, abre la puerta de todas maneras. El representante de la compañía le pregunta si usted es el que ha hecho todos esos cargos y luego saca «el documento de deuda que había contra» usted. A medida que comienza a confesar su desatino en gastar tanto, y el error cometido en el uso de la tarjeta, el visitante le interrumpe y dice: «Sabemos que cometió un error, pero vengo a decirle que otra persona pagó la tarjeta. ¡Canceló su deuda! No debe nada». En otras palabras, ¡lo perdonaron!

Eso sería bastante increíble, ¡pero eso es precisamente lo que Dios hizo a través de la cruz de Jesucristo! Tomó el documento de nuestros pecados, el cual produjo una deuda que nunca podríamos pagar, y la canceló toda. ¡Nuestros pecados están perdonados!

¿Por qué, entonces, algunos de nosotros queremos hacer ciertas cosas «imperdonables»? Creo que la única razón es que tenemos algunas ideas erróneas acerca de lo que es y lo que no es el perdón. Revisemos nuestro sistema de creencias en cuanto al «perdón».

PREGUNTAS A CONSIDERAR

1. ¿Cómo suele usted definir la palabra «perdón»?

2. ¿Qué lecciones aprendió en su familia, mientras crecía, sobre el perdón?

3. ¿Qué cosas ha considerado «imperdonables»?

4. ¿Qué es lo más difícil que ha tenido que perdonar en la vida?

CAPÍTULO DOS

MITOS Y VERDADES
SOBRE EL PERDÓN

*El tonto ni perdona ni olvida; el ingenuo perdona y olvida;
el sabio perdona, pero no olvida.*

DR. THOMAS SZASZ

Cada uno de nosotros tiene su propio y único conjunto de opiniones sobre el perdón. Damos calificaciones a ciertas cosas, o tenemos la opinión de que algunas son al menos casi imposibles de perdonar. Examinemos nuestras creencias y opiniones del perdón antes de que comencemos nuestro análisis de perdonar lo imperdonable. He aquí una prueba corta que puede responder solo con «verdadero» o «falso».

Verdadero   Falso

V   F   1. Cuando se perdona, siempre se debe tratar de perdonar y olvidar.

V   F   2. Es bueno enojarse uno cuando trata de perdonar.

 V   F   3. Uno debe dejar de sentir resentimiento hacia la persona que está perdonando.

 V   F   4. Uno debe tratar de perdonar con rapidez y por completo.

 V   F   5. Con el tiempo, la herida desaparecerá y el perdón que uno ha dado a la otra persona se encargará de sí mismo.

 V   F   6. Si uno ha perdonado, nunca sentirá odio contra la persona que lo ha herido.

V   F   7. Si perdono, en cierto sentido estoy diciendo que lo que me pasó no tiene importancia.

 V   F   8. El perdón, en esencia, es una decisión que se toma una sola vez. O perdono o no perdono.

V   F   9. No puedo perdonar hasta que se arrepienta la persona que me hirió.

 V   F   10. Debo perdonar incluso si la persona que me hirió no se arrepiente.

Veamos cada una de las declaraciones presentadas arriba como interrogantes de verdadero-falso y cómo responderlas.

PRIMERA DECLARACIÓN:

Cuando se perdona, siempre se debe tratar de perdonar y olvidar.

La respuesta es *falso*, aunque si respondió *verdadero*, no está solo en esa creencia. Estoy asombrado de lo persistente que es. Cada vez que abordo este tema, varias personas se levantan y dicen algo sobre cómo siempre han creído que es de esperar que perdonen y olviden. Pienso que parte de la razón es que a muchos de nosotros se nos enseñó esto a temprana edad y lo adoptamos. ¿Cuán a menudo nuestra mamá nos dijo: «Solo necesitas perdonar a ese otro niño y olvidarlo»? Y es probable que diera resultado por muchas de las cosas que nos ocurrieron en la niñez. Es un adagio que lleva siglos aquí. Es más, a través de la literatura, podemos remontarlo por lo menos a la Inglaterra del siglo XIV.

Nuestra creencia de que el perdón incluye el olvido se puede fortalecer por nuestra teología. Nos han enseñado que cuando Dios olvida, perdona. La promesa en Jeremías 31:34, repetida varias veces en Hebreos, dice: «Yo les perdonaré su iniquidad, y nunca más me acordaré de sus pecados» (8:12; 10:17). En el Salmo 103:12, David se regocija en el hecho de que Dios «echó nuestras transgresiones como lejos del oriente está el occidente». Es obvio que Dios perdona *y* olvida. La pregunta entonces es: «¿No quiero llegar a ser más como Dios?», y si es así, ¿no significa que a la larga debo perdonar como lo hace Él?

Sin embargo, ¿cómo olvida un cónyuge la infidelidad de su pareja? ¿Cómo olvida un padre el asesinato de su hijo? ¿O cómo olvida un adulto los abusos que sufrió en la niñez? Por mucho que lo intentemos, no podemos olvidar. Quizá deseemos olvidar, pero en realidad no debemos olvidar.

Déjeme darle un ejemplo sencillo. Digamos que estoy hablando en su iglesia durante un fin de semana, y a usted le gustaría hablar con el orador invitado que visita su iglesia. Pero se pone muy nervioso pensando en esto. También imagine que descubre por accidente que si le pisa el pie a otra persona y luego le pide perdón, su nerviosismo desaparece, por lo que ahora acostumbra a pisarle el pie a la otra persona, se disculpa y luego se ponen a conversar.

Ahora imagínese que me ha hecho esto varias veces, y cada vez ha dicho que lo lamenta. Y cada vez lo perdono. Soy un aprendiz lento, pero al final lo capto, así que la próxima vez que viene a hablar conmigo, le digo: «Un momento. ¡Ya basta!». Parece herido mientras me pregunta: «¿Qué pasa?», le digo: «Sé lo que está sucediendo aquí. Usted es el único que siempre me pisa el pie cuando conversamos. Ahora tengo el pie dañado, y no quiero que lo haga de nuevo». Usted está pasmado. Me dice: «Pero, Dave, pensé que me perdonaste las veces anteriores». Y le aseguro: «Lo hice, pero aprendí algo acerca de usted, y no quiero que me pise el pie de nuevo. Podemos conversar mientras está parado allá».

Como se dará cuenta, tengo que perdonar *y recordar*. Necesito recordar porque usted tiene un problema y tengo que protegerme el pie. ¿Por qué entonces Dios puede perdonar y olvidar? En esencia porque no tiene nada que aprender en el proceso. Es omnisciente, lo sabe todo. Sin embargo, yo no soy omnisciente, no lo sé todo, así que necesito aprender a medida que avanzo.

Recuerdo vívidamente a una madre joven que vino a verme. Estaba quebrantada y muy perturbada, acababa de enterarse que su padre había estado vejando sexualmente a su hija de ocho años de edad. Mientras conversábamos, sentí que había algo más en la situación que lo que me estaba contando. La escuché por un rato y luego le pregunté: «¿Qué otra cosa está pasando en todo esto?». Comenzó a sollozar de manera incontrolable antes de poder decirme: «Él me hacía lo mismo a mí cuando yo tenía esa edad».

Después de unos momentos, le pedí que me dijera cómo enfrentó su vida. Me dijo que cuando quedó embarazada de su hija, vio a un consejero con relación a eso, y al final perdonó a su padre. Entonces, luego de una larga pausa, añadió: «No solo lo perdoné, sino que me esforcé mucho para olvidar lo que me hizo. No quería recordarlo, me era demasiado doloroso». No tuve que decir nada más. Ella se dio cuenta con exactitud de lo que me acababa de decir. Había tratado de hacer lo «cristiano»: perdonar y olvidar. Sin embargo, también había olvidado que su padre nunca reconoció su maldad. Pasó por alto el riesgo. Él era peligroso, y podía hacerle lo mismo a su nieta, y lo hizo. Si aquella mujer hubiera recordado el vejamen, hubiera podido proteger a su hija. Necesitamos perdonar y recordar, pues cuando la herida es profunda, tenemos que aprender en el proceso cómo protegernos a nosotros y a los que amamos de que no les suceda la misma cosa.

Es tan doloroso recordar que no nos gusta hacerlo. Cierto, pero cuando perdonamos de veras, hay algo más que recordar que el dolor. ¡Recordamos lo que Dios ha hecho y está haciendo en nuestra vida a través del perdón que nos ha dado y el perdón que hemos dado a otros!

SEGUNDA DECLARACIÓN:
Es bueno enojarse cuando uno trata de perdonar.

Verdadero. No solo está bien enojarse durante el proceso del perdón, sino que es una parte necesaria del proceso del perdón. Las

heridas profundas y los daños que parecen imposibles de perdonar no se superan con facilidad ni rapidez. Tenemos un montón
de emociones que procesar. Debemos afligirnos por lo que hemos
perdido. Por ejemplo, si uno está tratando de perdonar a uno de
sus padres por abandonarlo en la niñez, va a necesitar afligirse por
lo que perdió debido a la ausencia de ese padre en la vida.

Cada asunto de nuestra lista de «imperdonables» representa
algo que se ha perdido. El niño agredido sexualmente ha perdido
su inocencia, entereza y sentido de seguridad y límites físicos.
Un aborto es la pérdida de una vida. El divorcio redunda en la
desaparición de una familia y unas relaciones que se esperaba
que duraran toda la vida. Y cuando alguien que amamos nos
traiciona, perdemos confianza en ella, así como la manera en
que veíamos a esa persona antes de la traición. Es más, todo eso
que estamos llamados a perdonar, ya sea perdonarnos a nosotros
mismos o perdonar a otros, encierra una pérdida de algún tipo,
y necesitamos afligirnos por ella.

El dolor comienza con negación —creer que aquello no
puede ser verdad— y termina con la aceptación de la realidad.
Entre estas dos etapas de negación y aceptación hay dos facetas
básicas del dolor: enojo y tristeza. Para procesar nuestro dolor,
tenemos que experimentar enojo y tristeza, y para perdonar,
tenemos que sufrir. Así que el enojo es parte del proceso del perdón.

¿Qué ocurre cuando tratamos de perdonar sin experimentar
el enojo? Las mujeres, en particular, a menudo tienen dificultad
en enojarse. Se sienten tristes por su pérdida, pero la familia y la
cultura las han preparado para no permitir los sentimientos de
enojo. Es típico que los hombres tengan el problema opuesto.
Sentirán enojo por su pérdida, pero no se permitirán sentir tristeza. En cualquiera de los dos casos el resultado es el mismo: Los
individuos experimentan un proceso incompleto de aflicción.
No saben qué hacer a continuación, y la aflicción es incapaz de
seguir su curso.

TERCERA DECLARACIÓN:
Uno debe dejar de sentir resentimiento hacia la persona que está perdonando

Una vez más, la respuesta aquí es *verdadero*. Esta debía ser una pregunta fácil de responder, en especial si se vuelve a mirar la definición de «perdón» del diccionario. Webster dijo que «perdón» significa «dejar de sentir resentimiento en contra» de la persona que nos ha herido. La señal del perdón es que ya no sentimos mala voluntad hacia la otra persona. Quizá ya no confiemos en ella. Tal vez no nos caiga bien. Pero no le deseamos ningún mal.

Eso no significa que no habrá tiempos en los que regresen esos sentimientos. A menudo, después que hemos llegado a perdonar, ocurre algo en nuestra vida que parece activar todos los viejos sentimientos de dolor y resentimiento. ¿Significa eso que no hemos perdonado? En realidad, no. Lo que casi siempre significa es que estamos lidiando con el caso en un nivel más profundo, en un lugar recóndito dentro de nosotros que necesita experimentar la sanidad del perdón. Solo necesitamos completar otra vez el perdón en este nuevo nivel de dolor. No cancela lo que hemos hecho antes; hay más trabajo que hacer.

CUARTA DECLARACIÓN:
Uno debe tratar de perdonar con rapidez y por completo.

Aquí la respuesta es *falso*. El verdadero perdón es un proceso interno de restauración que no se puede acelerar.

Desde luego, depende de la profundidad y la seriedad del agravio. Si usted tropieza conmigo mientras tratamos de pasar por una puerta al mismo tiempo y me dice: «Perdone», no le respondo:

«Bueno, tendré que pensarlo. No estoy seguro que pueda perdonarlo con tanta rapidez». Eso sería absurdo. El agravio es muy pequeño y fácil de perdonar. Es más, cuando ocurre eso, casi siempre decimos: «¡Perdón!» o «¡Disculpe!».

No obstante, si abusó de mí físicamente y luego solo me dijo: «Perdón», sería igual de absurdo para mí perdonarlo enseguida. Digamos que en un arrebato de furia de repente me clava un cuchillo. En cuanto se da cuenta de lo que ha hecho, comienza a disculparse profusamente, deseando, casi exigiendo, que lo perdone. Es probable que mi respuesta incluya la idea de que ese no es el momento de hablar sobre el perdón. Necesito un médico al instante para que atienda la herida y esta comience a sanar. Hable conmigo en unas semanas. Luego veremos el asunto del perdón.

Un joven me llamó para concertar una cita de emergencia. Cuando llamó, estaba muy perturbado, y con mucha razón. Dijo que acababa de descubrir que su esposa había estado teniendo relaciones amorosas con su mejor amigo. Cuando la enfrentó, ella se lo confesó y le pidió perdón. El joven dijo que querían una cita porque deseaban salvar su matrimonio.

Cuando llegaron, comencé preguntándole al joven qué tal le iban las cosas con la traición experimentada. Dijo: «Bien». Sorprendido con la respuesta, lo presioné. Al final lo presioné tanto que se puso muy irritado conmigo.

«Mire, doctor, soy cristiano. He perdonado a mi esposa», respondió enérgicamente.

Su respuesta fue tan fuerte que pasé a otros asuntos y luego les di una tarea para que la hicieran juntos antes de la próxima sesión.

Ese fin de semana, el joven me volvió a llamar aterrorizado. Estaba quebrantado y llorando mientras me informaba que su esposa se había marchado de nuevo con su amigo por el fin de semana. Conversamos un rato, y le dije: «Mire, tenemos que hablar sobre el perdón tan precipitado que le dio. Al tratar de perdonar a su esposa con rapidez, en esencia le decía que lo sucedido "no tenía importancia". Y eso es exactamente lo que ella entendió, como lo demuestra el hecho de que se fuera de nuevo con él».

El joven estuvo de acuerdo, así que hablamos sobre cómo, cuando alguien nos hiere en lo más profundo, hay que tomar algún tiempo para perdonar. Nos proponemos perdonar mucho antes, pero debemos tomarnos tiempo para completar bien el proceso del perdón. No es ni fácil ni rápido.

He descubierto que nuestro deseo de perdonar con rapidez, incluso las heridas profundas, a menudo se reduce a un problema de nuestro deseo de perdonar como lo hace Dios. Leemos 1 Juan 1:9: «Si confesamos nuestros pecados, Dios, que es fiel y justo, nos los perdonará y nos limpiará de toda maldad». Cuando nos preguntamos: «¿Cuán pronto nos perdona Dios después que confesamos?», la respuesta es: «¡Al instante!» Y entonces, en cierto sentido, creemos que el cristiano debe perdonar con rapidez.

Sin embargo, ese concepto se basa en una pequeña parte de la historia de las actividades de Dios con nosotros. Buscamos solo en la era «posterior a la cruz». ¿Qué pasaría si viviéramos, digamos, en el año 1000 a. C., por el tiempo en que David sentaba las bases de la ciudad de Jerusalén? ¿Con cuánta prontitud perdonaba Dios en ese entonces? Sin duda, ¡no era al instante! Y había un tremendo precio que pagar. Si hubiéramos vivido en esa época, cada vez que pecábamos hubiéramos tenido que presentar una ofrenda por el pecado o la culpa (véase Levítico 4:1—6:7). Y cada vez que hubiéramos pecado otra vez, hubiéramos tenido que repetir el proceso del sacrificio porque el perdón era incompleto en ese entonces. Nuestros sacrificios habrían sido simples «vislumbres» de la verdadera y final expiación, con la mirada en el futuro a la cruz y al perfecto sacrificio de Cristo que completaría nuestro perdón (véase Hebreos 9:12-28).

Volviendo la vista más atrás, al jardín del Edén, podemos comenzar a darnos cuenta de cómo la demora de Dios tuvo un propósito distinto. Si Dios perdonaba al instante en ese tiempo, todo lo que Adán y Eva habrían necesitado hacer era confesar, y el problema se habría resuelto. Lo cierto es lo opuesto. Confesaron, pero su total perdón estaba muy distante. Dios proveyó una solución temporal a través de los animales que se sacrificaban, y prometió resolver el problema en el momento oportuno, pero el perdón estuvo incompleto hasta que Jesús dijo en la cruz: «Todo se ha cumplido».

Por lo tanto, del Edén a la cruz, Dios estuvo en el proceso del perdón. En el Edén tomó la decisión de perdonar, pero el perdón no se completó hasta el sacrificio de Cristo en la cruz. Durante el tiempo que transcurrió entre el Edén y la cruz, encontramos una emoción en Dios que es muy inquietante para muchos: su ira. ¿Por qué Dios está tan enojado en el Antiguo Testamento y por qué parece tan diferente en el Nuevo? Creo que Él es el mismo Dios en ambos testamentos.

Lo que vemos en Él en el Antiguo Testamento es parte de su proceso de perdón. A veces hasta se lamenta de haber creado a la humanidad (véanse Génesis 6:6; Éxodo 32:9). Debido a que está afligido, vemos enojo y tristeza en su carácter. ¿Hizo Dios esto porque necesitaba «procesar hasta el final sus emociones»? No lo creo. Pienso que su enojo cumplió otro propósito, similar a uno de los propósitos de nuestro enojo al perdonar: *Quería que entendiéramos cuán seria fue y es la ofensa del pecado*. No toma el pecado a la ligera, y no quiere tampoco que nosotros lo tomemos a la ligera.

El que nos tomemos tiempo en perdonar, y la aflicción que sentimos por nuestra pérdida y que expresamos con enojo y tristeza nos ayudan a comprender la seriedad de la ofensa. No queremos tomarla a la ligera. Es más, el perdón que se ofrece con demasiada rapidez no es perdón sino excusa. Y cuando excusamos un comportamiento dañino, estimulamos a que continúe en nuestra vida.

QUINTA DECLARACIÓN:
Con el tiempo, la herida desaparecerá y el perdón que uno ha dado a la otra persona se encargará de la misma.

Falso. El perdón no se da así por así. Siempre comienza con una decisión que nos conduce al proceso del perdón. No tomar esta decisión y solo esperar que el tiempo sane las heridas no es perdón. Quedarse sin hacer nada solo reprime nuestro dolor hasta un tiempo posterior u otro lugar. No desaparece, sino que se oculta.

Aunque existe alguna verdad en la declaración: «El tiempo sana todas las heridas», la curación a que se refiere no es la misma que la del perdón. Con el tiempo, quizá lleguemos a insensibilizar el dolor, o tal vez reprimamos mucho de nuestro recuerdo del agravio. Sin embargo, la insensibilización y la represión no son el perdón, ni brindan la solución ni la liberación del pasado que se necesitan para una cura profunda, la cual solo se alcanza a través del proceso del perdón.

SEXTA DECLARACIÓN:
Si uno ha perdonado, nunca sentirá odio contra la persona que lo ha herido.

La respuesta a esto es *falso.* Cuando nos han herido en lo más profundo, muy bien podemos tener sentimientos de odio hacia la persona que nos hirió.

Pero, usted pudiera preguntarse, ¿no está eso en contra de lo que nos dijo Jesús cuando nos instó a amar incluso a nuestros enemigos? No lo creo. Muchos piensan que el odio o el enojo es lo opuesto del amor. Nada más lejos de la verdad. Lo opuesto del amor es el temor, no el odio (véase 1 Juan 4:18). Es difícil odiar a alguien o algo sin experimentar alguna pasión por ello, y la pasión viene de que amemos o nos interesemos en alguien o algo. Esta persona, o cosa, *importa*.

A pesar de que quizá sintamos odio hacia la persona que nos hirió, no debemos permanecer en esa emoción negativa. Parte del proceso del perdón es a la larga liberar esos sentimientos dañinos. Para hacer esto, es importante admitir desde el principio, a nosotros y a la otra persona, que tenemos esos sentimientos intensos. Entonces, mientras nos esforzamos por ser capaces de perdonar de corazón, también nos esforzamos de manera constructiva en abandonar nuestro odio y enojo.

SÉPTIMA DECLARACIÓN:
Si perdono, en cierto sentido estoy diciendo que lo que me pasó no tiene importancia.

Falso. Aunque quizá parezca que estamos condonando el acto hiriente al perdonar, no estamos condonando el mal. El perdón nunca convierte un acto malo en algo bueno. Es más, el proceso del perdón hace en realidad lo opuesto. La profundidad de nuestra tristeza y nuestro enojo se relaciona en forma directa con la seriedad de la injusticia que nos han hecho. Solo reconociendo nuestro dolor, tristeza y enojo podemos avanzar en el proceso del perdón. Dios no condonó el mal. Lo tomó tan en serio que requirió que se pagara por él, y lo pagó por medio de la muerte de Cristo en la cruz.

Pienso que nuestra preocupación por condonar un acto malo mediante el perdón procede de nuestro sentido interno de rectitud y justicia. Parece que liberamos a la otra persona con demasiada facilidad si la perdonamos. ¡Parte de nosotros demanda que la otra persona pague de algún modo por lo que hizo! Pensamos que si perdonamos a nuestros ofensores, los excusamos.

Perdonar a los demás de ninguna
manera los beneficia ni los libra
de culpa. Nos permite cancelar
la deuda que nos deben,
la cual de todos modos
es muy probable que nunca
puedan pagarla. Los únicos
liberados somos nosotros: liberados
de la expectativa de restitución
por los males que nos hicieron.

A pesar de que quizá tengamos esos sentimientos, la verdad del asunto es que el perdón nunca ha hecho bueno al pecado. Nunca ha transformado un mal en algo bueno. Podemos ver esto con más claridad si observamos nuestra relación con Dios. El que Dios nos haya perdonado no significa que podemos salir y pecar con libertad. El pecado no se convierte de repente en bueno.

Pablo habla de esta distorsión en Romanos 6:1-2, donde pregunta: «¿Vamos a persistir en el pecado, para que la gracia abunde?». Y responde: «¡De ninguna manera!». Esta respuesta es la más fuerte que se podía hacer en griego: una negación triple. Así que si el perdón de Dios no condona el pecado, ¿por qué nuestro perdón de algo malo que nos hicieron va a condonar el mal, el hecho perjudicial? ¡Claro que no!

Aunque protestemos de que esto facilitaría mucho las cosas al causante de nuestro dolor, perdonar a las demás personas de ninguna manera las beneficia ni las libra de culpa. Nos permite cancelar la deuda que nos deben, la cual de todos modos es muy probable que nunca puedan pagarla. Los únicos liberados somos nosotros: liberados de la expectativa de restitución por los males que nos hicieron.

OCTAVA DECLARACIÓN:

El perdón, en esencia, es una decisión que se hace una sola vez. O perdono o no perdono.

Falso. O al menos falso en parte. El perdón es una decisión y también un proceso. El perdón genuino lleva tiempo. Si Dios se tomó todo el tiempo entre el jardín del Edén y la cruz para culminar el proceso del perdón, ¿cuál es nuestro apuro?

Cada vez que escucho a Arlene contar la historia de cómo ella y su esposo decidieron tan de prisa perdonar a su yerno después de que este asesinara a su hija, me maravillo. Hubo algo milagroso de verdad en lo que hicieron. Es probable que gran parte del perdón, del proceso del perdón, se llevara a cabo después que Arlene y su esposo tomaron esa decisión. A Judy le llevó varios años de lucha con sus sentimientos antes de poder perdonar a su esposo. Y a Irene le tomó varios meses de lucha en el Centro de Crisis del Embarazo antes de poder perdonarse a ella misma. En cada caso, hubo una decisión que dijo: «Sí, opto por perdonar». Así y todo, estas personas tuvieron que procesar hasta el final sus aflicciones, y eso lleva tiempo.

Una regla general es que mientras más temprano ocurre el agravio en la vida, y mientras más profundo sea este, más tiempo se necesita para ponerle fin a la aflicción en el proceso del perdón. Y necesitamos una persona cristiana que nos guíe durante este tiempo, pues no queremos aferrarnos a la amargura ni al enojo del proceso doloroso. Necesitamos una persona objetiva en quien confiar a fin de que nos acompañe a través del dolor, de modo que pueda decirnos cuándo ha terminado el proceso y ya es tiempo de tomar la decisión final de perdonar.

NOVENA DECLARACIÓN:

No puedo perdonar hasta que se arrepienta la persona que me hirió.

La respuesta es *falso*. Quizá no esté de acuerdo, así que la ilustraré aquí de forma breve y analizaré el asunto con más detalles en el siguiente capítulo.

Un joven que ingresaron en el hospital por ansiedad y depresión me contó su historia en una sesión de grupo. Estábamos conversando sobre el perdón y el papel del ofensor en el proceso. Nos contó que gran parte del porqué estaba tan ansioso y depresivo era que uno de sus pastores le había herido de manera profunda y se negaba a reconocer que lo había hecho. Le pregunté al joven por qué no acababa de perdonar al pastor y seguía adelante con su vida.

Él protestó más bien con fuerza que, a fin de perdonar, el pastor tenía que arrepentirse de lo que había hecho. Sin ese arrepentimiento, el joven no lo podía perdonar. Le dije que su razonamiento parecía ponerle en una dificultad insuperable. Estuvimos hablando en el grupo sobre cómo Dios nos exige que perdonemos. Nos referimos a las palabras de Jesús en Mateo 6:14-15: «Si perdonan a otros sus ofensas, también los perdonará a ustedes su Padre celestial. Pero si no perdonan a otros sus ofensas, tampoco su Padre les perdonará a ustedes las suyas». Hablamos sobre el hecho de que nuestro perdón a otros era un acto de obediencia a Dios.

Este pasaje, y otros como este, solo sirvieron para ponerlo más ansioso, pues de buena gana admitió que quería ser obediente y perdonar, pero sentía que no podía hacerlo. Al final, le dije: «No me gusta tu Dios». Me miró sorprendido, y me preguntó por qué le decía tal cosa. Le dije: «No me gusta que tu Dios te exija que hagas algo por obediencia, y que luego haga que te sea imposible hacer lo que te exige a menos que coopere otra persona». Continué diciendo: «El Dios que veo en la Biblia es un Dios que me exige ciertas cosas, y que por medio de su Espíritu Santo me hace posible hacer esas cosas».

Dios nos exige que seamos perdonadores con las personas. Ambos estábamos de acuerdo en ese punto. Pero si el pastor nunca reconocía que había hecho mal ni se arrepentía, y si eso era un requerimiento para que pudiera perdonarlo, el joven no podía obedecer. No podía perdonar. Si Dios me exige que sea una persona perdonadora, el poder perdonar debe depender solo de mí. No requiere la participación de la otra persona.

DÉCIMA DECLARACIÓN:
Debo perdonar incluso si la persona que me hirió no se arrepiente.

Esta vez la respuesta es *verdadero*. El argumento es el mismo en cuanto a la respuesta del último interrogante. Sin embargo, permítame añadir que si mi perdón está en dependencia de la disposición de arrepentirse de la otra persona, me mantiene en la posición de víctima y la otra persona posee todo el poder en la situación. Debido a que el perdón no es opcional en la vida del cristiano, la decisión de perdonar debe encontrarse por completo dentro de mí y ni siquiera de forma parcial en otra persona. Dios puede ayudarme a perdonar sin la cooperación de otros.

En esencia, me refiero a que el perdón es un acto que realiza el que está herido. El ofensor tiene deudas con nosotros, pero quizá nunca le sea posible saldar la deuda aun si quisiera hacerlo. Si tenemos que incluirlo en el proceso, ¿cómo podía perdonar a mi padre que murió hace más de veinte años? ¿O cómo puedo perdonar a alguien que se niega a reconocer el mal que causó? El perdón ofrece liberación de llevar la carga de una deuda que quizá nunca se pueda recompensar, aun cuando al ofensor le sería posible hacer algún tipo de restitución. Colocar el poder en las manos del ofensor podría dar resultados si este reconociera el mal y se arrepintiera, pero si se niega a hacerlo, no seríamos sus víctimas una sola vez, sino dos veces.

Preguntas a considerar

1. ¿En cuántas de las declaraciones de verdadero o falso tus respuestas fueron diferentes a las de este capítulo?

2. ¿Con cuáles respuestas de este capítulo no estás de acuerdo? ¿Por qué?

3. ¿Qué nuevas perspectivas lograste obtener acerca del perdón como resultado de la lectura de este capítulo?

4. Si el perdón no depende del arrepentimiento del perpetrador, ¿en qué sentido nos libera eso para perdonar?

CAPÍTULO TRES

PERDÓN Y RECONCILIACIÓN

El perdón no es un ideal dulce y platónico que se concede al mundo como la esencia rociada desde un frasco de perfume. Es dolorosamente difícil.

PHILIP YANCEY[1]

En cualquier tiempo y en cualquier parte que hablo sobre el perdón, recuerdo que lo que más le impide a la gente comprometerse a perdonar es la creencia de que el perdón y la reconciliación son la misma cosa. Si perdono, debo estar reconciliado, independientemente de lo que la otra persona diga o haga. Aunque no nos agrade, puede que sea lo que nos enseñaron.

Es importante que veamos el perdón y la reconciliación como dos procesos separados. El perdón siempre es necesario para que exista la reconciliación, pero el perdón no garantiza que habrá reconciliación. Mi perdón a alguien no es suficiente para asegurar la reconciliación, pues también requiere la genuina participación de la otra persona.

¿CUÁNTAS VECES PERDONAMOS?

En Mateo 18, Jesús pronunció lo que quizá fue su más contundente declaración sobre la naturaleza del perdón. Acababa de hablar sobre lo que hacemos cuando un hermano peca contra nosotros, y bosquejó las reglas del enfrentamiento y la reconciliación. Entonces Pedro hace una pregunta muy especial: «Señor, ¿cuántas veces tengo que perdonar a mi hermano que peca contra mí?» (v. 21). Y luego Pedro añade con mucha generosidad: «¿Hasta siete veces?».

A fin de comprender lo que Pedro dice aquí, necesitamos entender lo que, por lo general, enseñaban (y que a menudo todavía enseñan) los rabinos de su época: que solo tenemos que perdonar tres veces a alguien que peca contra nosotros. Después de eso, no hace falta perdonar, pues es obvio que el ofensor no era sincero en su disculpa. Pedro es muy generoso cuando sugiere que hasta siete veces. ¿Por qué Pedro escogió el siete? Quizá es que el siete representaba el número perfecto para los judíos del primer siglo. O tal vez la enseñanza de Jesús conmovió a Pedro y este estaba en un estado anímico muy magnánimo. Cualquiera que fuera la razón, quedó atónito por la respuesta de Jesús: «Setenta veces siete» (v. 22, DHH).

Algunas versiones dicen que son setenta y siete veces las que tenemos que perdonar. Un antiguo manuscrito añadió las palabras «un día» a la respuesta de Jesús. Quizá un monje copiando ese versículo tenía un día difícil en particular. Sin embargo, en su adición al manuscrito, captó lo que Jesús decía en realidad. Ya sean sesenta y siete veces, cuatrocientas noventa veces o cuatrocientas noventa veces al día, Jesús nos dice que no hay límite para nuestro perdón.

EL SIERVO QUE NO PERDONÓ

A fin de aclarar más la idea, Jesús narra una parábola acerca de un rey que revisaba sus libros y encontró que cierto siervo «le debía miles y miles de monedas de oro» (Mateo 18:24). Cuando el hombre no pudo pagar su deuda, el rey ordenó que lo vendieran a él, a toda su familia y todas sus posesiones para pagar la deuda. (Siempre me pregunto cómo el hombre acumuló tan increíble deuda cuando su activo neto quizá fuera de solo un par de miles de dólares… pero ese no es el asunto de la parábola).

Cuando el siervo se da cuenta de lo que le iba a pasar, Jesús dijo que «se postró delante de él. "Tenga paciencia conmigo —le rogó—, y se lo pagaré todo"» (v. 26). En eso, el rey sintió compasión por él y le perdonó su deuda. He aquí de nuevo la definición de perdón: cancelación de una deuda.

He tratado de ponerme en el lugar de ese hombre. Me he imaginado entrando en mi banco y escuchando a mi banquero decir: «Dave, ¿qué me dices del dinero que nos debes? ¿Cuándo vas a pagar?». «Bueno», respondo, «solo dame un poco más de tiempo y te lo pagaré. Todavía me queda algún tiempo, ¿no es cierto?». El banquero piensa por un momento y luego dice: «Bueno, vamos a cancelar la deuda… ¡ya no nos debes ni un centavo!».

¡Qué fantástico! Ningún banquero en el mundo haría eso. Los únicos préstamos que cancelan son los incobrables, y solo hacen eso después que luchan por ellos y hacen cada esfuerzo por cobrar lo que les deben. Pero si hicieran eso por mí, me sentiría en las nubes al salir por la puerta.

Esa no fue la manera en que reaccionó el siervo del rey. Salió de la oficina del rey como mismo entró; nada cambió en su interior. De inmediato se encontró con un amigo, uno de sus compañeros, que le debía cien monedas de plata. Jesús dice que el primer siervo agarró por el cuello a su amigo y le exigió que le pagara en el acto. Note lo que pasó a continuación. Dice Jesús que el amigo «se postró delante de él. "Ten paciencia conmigo —le rogó—, y te lo pagaré"» (v. 29). Su comportamiento fue idéntico a lo que el siervo acababa de decir y hacer ante el rey. Uno creería que se le encendería una bombilla en la cabeza y que pensaría para sí algo como esto: «¡Vaya! Eso es lo que acabo de decirle al rey, y él me perdonó mi deuda multimillonaria. ¿Por qué voy a molestar a mi amigo por unas cuantas monedas?». En lugar de eso, no mostró ninguna compasión por su amigo, ni mostró ninguna comprensión de la magnitud de lo que el rey acababa de hacer por él al perdonarle aquella inmensa deuda. Como resultado, hizo meter en la cárcel a su amigo hasta que le pagara todo lo que le debía.

Por fortuna, este segundo siervo tenía algunos amigos que sabían toda la historia y se enojaron tanto por lo que le pasó que fueron al rey y se lo contaron. Cuando el rey escuchó lo que hizo el primer siervo, llamó al hombre y le dijo: «¡Siervo malvado![...] Te perdoné toda aquella deuda porque me lo suplicaste. ¿No debías tú también haberte compadecido de tu compañero, así como yo me compadecí de ti?» (vv. 32-33). Y con eso, el rey lo envió a la misma cárcel a la que él había enviado a su amigo, hasta que el primer siervo pudiera pagar toda su deuda multimillonaria.

¿QUIÉN ES EL SIERVO QUE NO PERDONA?

Está claro que yo soy el primer siervo en la parábola y Dios es el rey. La deuda que debo es astronómica, y jamás la podría pagar aun si viviera diez vidas. Y la cárcel a la que se refiere Jesús es el infierno. La Biblia dice que el rey «lo entregó a los carceleros para que lo torturaran hasta que pagara todo lo que debía» (Mateo 18:34). La deuda que tengo es el resultado de mi pecado. Pablo nos recuerda que la deuda resultante de nuestro pecado solo se puede pagar con nuestra muerte (véase Romanos 6:23). Es una deuda impagable: A fin de pagarla, debo morir, un precio que no me puedo permitir. Solo Cristo puede pagar esa deuda por mí a través de su muerte en la cruz. Gracias a Cristo, el rey ha cancelado mi deuda. Por medio del perdón de Dios, podemos escapar del castigo del pecado y la muerte, y en su lugar experimentar «la dádiva de Dios [que] es vida eterna en Cristo Jesús, nuestro Señor».

Ahora tenemos un contexto por el que podemos comprender la última cosa que dijo Jesús, que es todo el propósito de su enseñanza. Una vez presentado el ejemplo del siervo imperdonable, Jesús dice: «Así también mi Padre celestial los tratará a ustedes, a menos que cada uno perdone de corazón a su hermano» (Mateo 18:35). Si me han perdonado una deuda que no podría pagar nunca, no puedo *dejar* de perdonar. Ya no tengo otra opción. Debo perdonar de corazón. Desde luego, como ya se señaló, necesito tomar el tiempo necesario para el genuino perdón, nunca condonar el mal mediante el perdón y seguir recordándolo. ¡Sin embargo, debo perdonar!

JUAN DEL LÍBANO

Tuve la oportunidad de enseñar sobre el perdón durante una semana en una escuela de consejería sobre el comportamiento adictivo en Ámsterdam, Holanda. La escuela es una parte del ministerio educacional de Juventud con una Misión. Siempre es un privilegio enseñar en esta escuela, en parte debido a que los estudiantes son un grupo procedente de todas partes del mundo.

Durante mi tiempo libre una tarde, un joven del Líbano, al que llamaremos Juan, me contó su historia. Cuando Juan tenía veinte años de edad, un hombre en su pueblo lo acusó falsamente de un crimen. El acusador mintió y consiguió que mintieran varios de sus amigos. La ley del desierto era que un asunto se reconocía mediante la palabra de dos o tres testigos, y debido a que ninguno podía refutar la mentira, a Juan lo sentenciaron a veinte años de cárcel. Mientras su acusador emprendía la retirada del juzgado, Juan lo miró y le dijo: «Puede que vaya a prisión, pero tengo tres hermanos que no lo harán». El hombre lo escuchó, pero se apresuró a salir del juzgado, una vez logrado lo que se propuso hacer. En el principio de lo que esperaba que fueran los mejores años de su vida, Juan comenzó a cumplir su sentencia.

No había mucho que hacer en la cárcel, así que cualquier cosa se acogía como diversión. Un grupo de estudiantes universitarios de la Biblia iba una vez a la semana a celebrar cultos. Juan no era creyente, pero comenzó a asistir a los cultos, y pronto entregó su corazón y vida al Señor Jesús. Luego se unió a algunos otros presos en un pequeño grupo de discipulado, dirigido por los estudiantes durante la semana para los que se habían entregado al Señor.

No demoró mucho para que surgiera el asunto del perdón como parte de la obediencia y el discipulado. Juan era inflexible. «¡Nunca perdonaré a ese hombre! ¿Cómo puedo hacerlo después de lo que me hizo?» Desde luego, los estudiantes señalaron la parábola de Mateo 18 y otros pasajes del Nuevo Testamento donde se aclara bien que el perdón no es opcional para el creyente.

A Juan le llevó tiempo comprender su necesidad de perdonar a su acusador en el contexto de que Jesús lo había perdonado. Al final, Juan pudo ver el propósito. Aunque al principio se resistía, comenzó el proceso y supo que en algún momento tendría que perdonar a su acusador.

Luego Juan respondió la pregunta no formulada que yo tenía en mente. Parecía de unos treinta años, y ya no estaba en la cárcel. Es obvio que no tuvo que cumplir los veinte años de condena. «En nuestro país no logramos salir de la cárcel antes de tiempo por ninguna razón. Sin embargo, al quinto año de estar en la cárcel de repente me dieron la libertad», explicó. «Hasta el día de hoy, no sé por qué. Investigué para asegurarme de que no era un error, pero luego no seguí investigando, pues no quería armar líos».

Después de su liberación, Juan comenzó a asistir a la misma escuela bíblica que había enviado a los estudiantes a trabajar en la cárcel. A la misma vez, siguió completando su proceso de comprender el perdón hasta que fue capaz de «perdonar de corazón» al hombre que lo había perjudicado. A medida que continuaba hablando con los estudiantes y los profesores sobre lo que le pasó, le parecía que Dios le decía que necesitaba ir a ver al hombre y decirle que lo había perdonado. Cuando se lo mencionó a los estudiantes y a los profesores con quién pensaba reunirse, la reacción fue rápida. «De ninguna manera, Juan. Ese hombre es peligroso, ¡y tú no tienes necesidad de ir y hablar con él!»

Sin embargo, Dios continuó poniendo en su corazón que necesitaba ir a ver al hombre y hablar con él. Al final, convenció a los demás de que aquello era del Señor y que necesitaba hacerlo, de modo que un sábado por la mañana un grupo de estudiantes y profesores se reunió alrededor de Juan en la estación de ómnibus y oraron por él antes de que abordara el ómnibus de regreso a su pueblo.

Cuando se bajó del ómnibus, nadie en su pueblo sabía que estaba en libertad. Después de su sentencia, su familia se mudó avergonzada. Todo el mundo pensaba que Juan se había escapado y estaba aquí para vengarse del hombre que lo había perjudicado.

El entusiasmo en el pueblo aumentaba a medida que Juan se dirigía a la casa del hombre. Cuando la esposa del hombre respondió al fin a su llamado en la puerta, le informó a Juan que su esposo no estaba allí. Juan solo respondió: «Bien, regresaré más tarde».

Juan volvió alrededor de la hora de la cena. Esta vez, después que Juan tocara varias veces, el hombre se acercó a la puerta y la abrió solo un poco. Era obvio que estaba bastante nervioso, pues no sabía por qué Juan estaba allí.

—¿Qué quieres? —le preguntó.

—Vengo a decirte —le respondió Juan— que cuando estaba en la cárcel conocí a Jesucristo como Señor y Salvador. Me hice cristiano. Y como parte de ser cristiano, Dios me perdonó todo lo malo que he hecho en la vida. Y como he sido perdonado, he podido perdonarte.

Hubo un momento de silencio mientras las palabras de Juan comenzaban a penetrar, y entonces el hombre abrió de par en par la puerta y dijo:

—Eso es maravilloso, Juan. Ven y come con nosotros.

—No gracias —le respondió Juan—. En realidad, no tengo deseos de comer contigo. Solo vine a decirte que te he perdonado.

Y con eso, Juan se volvió y regresó a la estación, tomó el ómnibus y se encaminó de nuevo a la escuela en Beirut.

Mientras Juan y yo conversábamos, me sentí entusiasmado. Él y sus compañeros de estudio lo habían captado bien. El perdón debe llevarse a cabo, pero la reconciliación es una opción. Juan tendría que haber sido un tonto para cenar con aquel hombre, que era peligroso y que ya le había robado cinco años de su vida. Quién sabe qué mentiras le habría inventado si Juan se sentaba a cenar con él. Debemos perdonar, ¡pero no siempre es sabia la reconciliación!

El perdón es una actividad singular. Es algo que hago dentro de mí, y para perdonar no me hace falta que la otra persona

Para que exista una genuina
reconciliación, necesito perdonar
y la otra persona necesita
mostrar quebranto piadoso
por lo que ha hecho.
El perdón se requiere
de nosotros los cristianos,
pero la reconciliación es opcional
y depende de la actitud del ofensor.

participe en el proceso. La reconciliación es un proceso bilateral que requiere la participación de ambas partes. Para que exista una genuina reconciliación, necesito perdonar y la otra persona necesita mostrar quebranto piadoso por lo que ha hecho. El perdón se requiere de nosotros los cristianos, pero la reconciliación es opcional y depende de la actitud del ofensor.

Después de eso me preguntaba qué habría sucedido si el hombre hubiera respondido de manera diferente a Juan. Qué habría hecho Juan si el hombre le hubiera dicho: «Juan, ¡qué maravilla! Yo también me he convertido y es por eso que estás fuera de la cárcel. Cuando me convertí, quise subsanar aquel error en mi vida y por eso confesé que había mentido en cuanto ti. Ven y come con nosotros».

¿Se le habría exigido a Juan que comiera con el hombre? Creo que si eso hubiera pasado, Juan tendría que haber sido sabio al responder con algo así: «Eso es fantástico. Y me sorprende bastante. Esta vez no puedo quedarme a comer, pero volveré». Después que Juan se fuera podría comprobar lo que decía el hombre, y si todo era cierto… ¿quién sabe? Quizá cenaría con el hombre o quizá no. La reconciliación, a diferencia del requerimiento del perdón, es opcional.

JOSÉ DE CANAÁN

El mismo principio de separación del perdón de la reconciliación es también aparente en la experiencia de José. Génesis nos da un cuadro bien franco de cuatro generaciones de la familia de Abraham. Las vemos en toda su humanidad, luchando con sus matrimonios y con conflictos entre los hijos, todas las cosas que casi siempre creemos que solo ocurren en nuestras propias familias.

Génesis 37 nos ofrece una narración convincente del joven José. Era un hijo mimado, el favorito de Jacob y Raquel, lo cual significaba que Jacob no mostraba mucho afecto a los diez hermanos mayores de José. Encima de eso, José los delataba. Regresaba a casa después de ayudar a cuidar los rebaños de su padre y «le contaba a su padre lo mal que se portaban sus hermanos» (v. 2, TLA). Eso es bastante típico del hijo menor, pero en la situación de José, casi le cuesta la vida.

Varias veces, las Escrituras declaran que los hermanos de José lo odiaban porque le tenían celo (véase Génesis 37:4, 8, 11). Para empeorar las cosas, ni José ni sus padres parecían darse cuenta de los sentimientos de los hermanos hacia él. Si no es así, ¿por qué Jacob le regaló a José una túnica especial y después permitió que la usara al ir a ver a sus hermanos? Al parecer, ni Jacob ni José lo pensaron dos veces (v. 13).

Cuando los hermanos de José lo vieron llegar, decidieron matarlo. ¡Gente buena, estos hermanos! Sin embargo, al menos a dos de los hermanos no les gustaba la idea. Rubén concibió un plan para rescatar a José, y mientras estaba fuera tratando de implementarlo, Judá propuso vender como esclavo a José, diciendo: «Es mejor que lo vendamos a los ismaelitas y no que lo matemos, porque después de todo es nuestro hermano» (v. 27, DHH). Su sugerencia se aprobó, y vendieron a José a los mercaderes ismaelitas, que a su vez se lo vendieron a Potifar en Egipto. Potifar era capitán de la guardia del palacio, una posición que en Egipto incluía los deberes de jefe de los verdugos… ¡un hombre interesante para ser su amo!

Sin embargo, José, aunque bastante ingenuo dentro de su familia, resultó un consumado administrador y tenía un corazón sincero ante Dios. Recuerde sus circunstancias: nació libre, pero lo hicieron esclavo, y aunque era hebreo, lo llevaron a vivir a una tierra extraña en medio de una cultura desconocida, incluyendo un lenguaje que probablemente fuera nuevo para él. Nada de esto era el resultado de algo que él hubiera hecho conscientemente. No se daba cuenta de la animosidad de sus hermanos hacia él. Para colmo, había confiado en ellos. Y entonces, en Egipto, cuando todo ya marchaba bien, la esposa de Potifar tomó interés por él. Su mentira en cuanto a que intentó violarla causó que Potifar echara «a José en la cárcel donde estaban los presos del rey» (Génesis 39:20). El injusto comportamiento de sus hermanos se complicó con las mentiras de la esposa de Potifar. Y José, que había disfrutado de cierta libertad incluso como esclavo, fue a parar a una cárcel en tierra extraña.

La cronología sugiere que sus hermanos vendieron a José como esclavo cuando este tenía diecisiete años de edad. Quizá trabajó como esclavo de Potifar durante cinco años, puesto que es posible que le tomara ese largo tiempo para ascender a la posición de estar a cargo de todos los negocios y la casa de Potifar. Por lo tanto, es probable que lo echaran en la cárcel más o menos a los veintitrés años. La tradición dice que José estuvo en la cárcel trece años, quizá hasta los treinta y seis años de edad. Por lo general, se considera que los años que pasó encerrado son los mejores años de la vida.

Su tiempo en la cárcel resultó ser parte de la preparación de José para el liderazgo. Era un joven egocéntrico cuando llegó a Egipto, y Dios tenía que hacer muchas cosas para preparar a José para lo que había visto en sus sueños. Durante su confinamiento, José tuvo que llegar a aceptar lo que le había pasado dentro de su familia. Me imagino que él, como muchos de nosotros, habría descrito a su familia como «unida». Quizá les describiera su familia a los otros prisioneros mientras se sentaban a descansar cada día. Cuando por fin alguien le preguntó quién lo vendió como esclavo, José tuvo que responder: «Mis hermanos». Luego la reacción inmediata debe haber sido: «Pero no decías que tu familia era unida». Poco a poco José se enfrentó con la realidad de lo que experimentó a manos de sus hermanos.

Por último, José tuvo que enfrentar la verdad y la tarea de perdonar. ¿De qué otro modo podía resolver los asuntos de su pasado? El perdón es la manera en que Dios resuelve los asuntos de nuestro pasado, y es el único medio de poder lograr tal solución. José, pues, enfrentó el mismo tipo de decisión que Juan, el joven del Líbano. José podía aferrarse a la herida y a la amargura y destruirse a sí mismo, o podía perdonar. Y, como Juan, tuvo que hacerlo así también sin ninguna esperanza de hablar, de ni siquiera comunicarse, con las personas que perdonaba.

Creo que hay evidencia clara en Génesis de que José perdonó a sus hermanos mucho antes de que se presentaran en su almacén del palacio. Entonces, ¿por qué José hizo pasar a sus hermanos por las pruebas de las que leemos? Creo que fue para tantear el terreno y ver si habían cambiado y si no habría peligro en revelarles su identidad con el fin de reconciliarse con ellos. Algunos sugieren que fue para vengarse. No lo creo. José se había convertido en el segundo hombre más poderoso del mundo para ese entonces, y si hubiera deseado venganza, podía haber hecho cualquier cosa que quisiera sin que lo cuestionaran.

José puso a prueba a sus hermanos para ver la condición de sus corazones. Lo hizo escuchando lo que conversaban sin que ellos se dieran cuenta. Esto fue posible debido a que sabía quiénes eran pero sus hermanos no tenían idea de quién era él, ni que conociera tan bien el idioma en que hablaban. Después de todo, la última vez que lo vieron era un joven hebreo de diecisiete años de edad; pero ahora tenía la apariencia de un egipcio de mediana edad.

El momento decisivo se presentó cuando José exigió que le llevaran a su hermano menor, Benjamín, a Egipto y luego los amenazara con dejarlo en Egipto como su esclavo. Judá se adelantó para suplicarle a José. Le habló de su padre, Jacob, y su dedicación a Benjamín, y sobre el compromiso que tenían con Jacob de cuidar de Benjamín. Y luego Judá se brindó para ocupar el lugar de Benjamín y quedarse como esclavo de José, en parte debido a que no era «capaz de ver la desgracia que le sobrevendrá a mi padre» (véase Génesis 44:18-34).

Esto convenció a José de que Dios había cambiado el corazón de sus hermanos y se les reveló (véase Génesis 45:1-2). Más tarde, después que murió Jacob, José les dijo a sus hermanos que no tenía nada contra ellos, que los había perdonado. Los hermanos temían, sin embargo, que José se vengara por su malvada acción, así que le enviaron un mensaje, diciendo: «"Antes de morir tu padre, dejó estas instrucciones: 'Díganle a José que perdone, por favor, la terrible maldad que sus hermanos cometieron contra él'. Así que, por favor, perdona la maldad de los siervos del Dios de tu padre". Cuando José escuchó estas palabras, se echó a llorar» (Génesis 50:16-17). En cuanto los hermanos se presentaron ante José, este les dijo de nuevo: «No tengan miedo[...] ¿Puedo acaso tomar el lugar de Dios? Es verdad que ustedes pensaron hacerme mal, pero Dios transformó ese mal en bien» (vv. 19-20). Entonces José les aseguró que cuidaría de cada uno de ellos y de sus familias.

Para que José llegara a ser el gran líder que fue en Egipto, tuvo que quebrantar la esclavitud del gran dolor y el daño que había experimentado a causa del favoritismo de su padre y el consecuente rechazo y odio de sus hermanos. Solo el perdón es capaz de liberar el corazón de las cargas del pasado y desatarnos para ser lo que Dios quiere que seamos.

Si Juan o José hubieran exigido reconciliación para perdonar, el perdón habría sido imposible. El perdón lo concedió cada individuo sin la participación de la persona ofensora. Esto fue también cierto en la parábola de Jesús. El rey no le pidió permiso al siervo para perdonarlo. Es más, el hombre nunca le pidió perdón. Es probable que saliera de la presencia del rey con toda la intención de pagar la deuda, incluso después de que lo perdonaran. Siguió la vida como uno que nunca ha asimilado la realidad del perdón que recibió. No quiso que lo reconciliaran con la verdad de su perdón.

Así es la manera en que Dios nos ha perdonado. No nos involucró en el proceso. Actuó por su cuenta. En el cumplimiento del tiempo, Dios envió a su Hijo, Jesús, a morir en la cruz. El castigo de nuestro pecado lo pagó en su totalidad otra persona: Jesús. Este nunca preguntó: «¿Quieres que pague el castigo de tu pecado?». Simplemente lo hizo. Cuando Jesús murió en la cruz, pagó el castigo de cada pecado que se ha cometido y que se cometerá jamás, de una vez por todas. El problema del pecado se ha resuelto del lado de Dios en la ecuación; Dios lo hizo todo, sin nuestra participación. Nos perdonó todos nuestros pecados.

¿Significa eso que se perdonó a todo el mundo? Yo lo creo. Entonces, ¿por qué algunos pasarán la eternidad sin Dios? No creo que sea porque exista algún pecado que no ha recibido perdón. Será debido a que algunas personas no se han reconciliado con el Dios que perdona. Lo que queda ahora para cada uno de nosotros es entrar en el proceso de reconciliación con el Salvador que perdona. Eso comienza con nuestra demostración de quebranto piadoso por nuestro pecado.

Ese es el trabajo continuo de la iglesia hoy. Estamos para proclamar las buenas nuevas: ¡Todos hemos sido perdonados! Y se nos invita a que nos reconciliemos con el Dios que perdona. Algunos escuchan las buenas nuevas y dicen: «Yo no necesito eso. Nunca he hecho nada tan malo que necesite el perdón. ¡Olvídalo!». ¿Son perdonados? Creo que sí, aunque el asunto está en veremos debido a su rechazo a reconciliarse con el Dios que perdona. Es por eso que el apóstol Pablo dijo: «En Cristo, Dios estaba reconciliando al mundo consigo mismo, no tomándole en cuenta sus pecados y encargándonos a nosotros el mensaje de la reconciliación. Así que somos embajadores de Cristo, como si Dios los exhortara a ustedes por medio de nosotros: "En nombre de Cristo les rogamos que se reconcilien con Dios"».

Luego Pablo continúa y ruega a sus lectores «que no desechen el maravilloso mensaje de la gracia de Dios» (2 Corintios 6:1, LBD). Tenemos una elección. Podemos entrar en el proceso con lo que Dios ya hizo a nuestro favor y reconciliarnos, o podemos alejarnos como el siervo de la parábola: perdonado, pero sin reconciliarse con el Salvador que perdona.

Veamos ahora por qué nos resulta tan difícil separar estos dos procesos.

PREGUNTAS A CONSIDERAR

1. ¿Por qué cree que tan a menudo queremos combinar el perdón y la reconciliación?

2. ¿Cuáles son algunas de las razones por las que el siervo perdonado en Mateo 18 no pudo asimilar la realidad de su perdón de modo que no fue capaz de perdonar la deuda de su amigo?

3. ¿Cuáles podrían ser algunas de las razones por las que a Juan le hubiera sido tan difícil perdonar al hombre que mintió sobre él?

4. Si se terminó lo que había que hacer para el perdón, y el actual trabajo de la iglesia es proclamar las buenas nuevas de ese perdón, ¿de qué manera cambia eso la forma en que procuramos evangelizar a otros?

CAPÍTULO CUATRO

EL PERDÓN RADICAL

Errar es de humanos, perdonar es divino.
ALEXANDER POPE

Muchos de nosotros estamos de acuerdo con la declaración de Alexander Pope de que el perdón es una acción divina. De algún modo creemos que Dios puede perdonar de cualquier manera que Él quiera, puesto que es Dios, pero cuando se trata del perdón de humanos, se exige el arrepentimiento. Para muchos, Lucas 17:3-4 enseña que no debemos perdonar excepto cuando se arrepiente el ofensor. Jesús dice: «Así que, ¡cuídense! Si tu hermano peca, repréndelo; y si se arrepiente, perdónalo. Aun si peca contra ti siete veces en un día, y siete veces regresa a decirte "Me arrepiento", perdónalo». La idea de que el arrepentimiento y el perdón van de la mano se basa en las palabras «si se arrepiente, perdónalo», como si dijera que solo perdonamos si se arrepiente.

Pero considere todo el pasaje de nuevo, y analice en particular la declaración de Jesús en cuanto a pecar «siete veces en un día». Recuerde que la enseñanza común de esa época era que uno solo tenía que perdonar a alguien tres veces. Después de eso, el pecado corría por la cuenta de la otra persona por no cambiar su comportamiento. ¡Jesús extendió el perdón más allá de «tres veces» a un total de siete veces en un día! Jesús nos llama a un tipo de perdón más radical que el que se enseñaba por lo general en los tiempos del Nuevo Testamento. Sugiere algo así: «Cuando alguien se arrepiente, cómo *no* nos vamos a atrever a perdonar». ¡Y también tenemos el llamado a perdonar cuando alguien no se arrepiente!

EL PERDÓN EN EL ANTIGUO TESTAMENTO

Hace varios años mi esposa, Jan, y yo dirigimos un seminario de un fin de semana sobre el perdón en una iglesia en Holland, Míchigan. A continuación del seminario, un destacado editor del periódico local, el *Holland Sentinel*, entrevistó a varios de nosotros sobre la naturaleza del perdón.

Una persona entrevistada fue un profesor judío de la Facultad de Derecho, que declaró: «El perdón solo es apropiado cuando se arrepiente el pecador. Violan a una mujer. ¿Por qué ella debe tener la carga de perdonar a su violador? Solo debe perdonar cuando él se arrepienta»[1]. Representó con exactitud la enseñanza del Antiguo Testamento. Se considera una *carga* para la persona que perdona (note que hasta usó la palabra «carga»), y el perdón solo se requiere cuando el ofensor se arrepiente de su pecado. Esta fue y es la enseñanza judía sobre el perdón. La enseñanza del islam es la misma cosa: el perdón se requiere solo en el contexto del arrepentimiento.

Es más, el Antiguo Testamento no lidia en realidad de forma directa con el perdón de otra persona. Existen tres palabras hebreas que se usan para referirse al perdón, dos de ellas se usan solo con relación al perdón divino. La tercera palabra empleada en el Antiguo Testamento se usa ante todo en relación con el perdón de Dios, pero también se refiere al perdón mutuo de los humanos. El uso con el perdón humano es mínimo: solo tres veces. Y cada vez, no nos enseña nada sobre el perdón humano. Esta palabra se usa en Génesis 50:17, cuando los hermanos de José le imploran que los perdone por lo que le hicieron; en Éxodo 10:17, cuando el faraón les pide a Dios y a Moisés que lo perdonen después que la plaga de langosta lo destruye todo en la tierra; y en 1 Samuel 25:28, cuando Abigaíl le pide perdón al rey David mientras intercede por su malvado esposo Nabal a fin de impedir que David lo matara.

Esta palabra en el Antiguo Testamento significa literalmente «liberar, absolver o mostrarle misericordia» a alguien. Los hermanos de José querían que «los liberara» de la carga de su culpa. El faraón quería que Moisés «lo liberara» de la necedad de no escuchar a Moisés. Y Abigaíl quería que David «la liberara a ella» de la culpa, o la tontería, al aproximarse a él, el rey. En cada caso, el que pide perdón está en una posición inferior que la del que se le pide perdón; piden algo que no merecen. Es más, en los tiempos del Antiguo Testamento, el perdón se ve como una señal de debilidad. Más virtud era no perdonar. El odio de David por sus enemigos, como se expresa en muchos de sus salmos, es más la actitud del típico israelita.

En contraste, las otras dos palabras del Antiguo Testamento que se refieren al «perdón» se ocupan solo del perdón de Dios hacia la humanidad. Dios es siempre el sujeto del verbo; Él es siempre el único que perdona. Este mensaje del perdón que nos da Dios es exclusivo de la Biblia, como ninguna otra escritura religiosa enseña que Dios perdona de una manera tan completa y benévola. A fin de que Dios nos perdone de un modo tan benévolo, se deben cumplir dos condiciones: (1) Se debe tomar una vida como sustituto del pecador, y (2) el pecador debe arrepentirse. Esta es la enseñanza característica del Antiguo Testamento, y todavía es cierta con relación a que lleguemos a ser hijos de Dios.

Una vez dado este contexto histórico, es fácil pensar que Jesús estaba enseñando que el arrepentimiento y el perdón deben ir juntos. Con esto en mente, podemos comprender Lucas 17 como confirma ese punto de vista. Sin embargo, no creo que ese fuera el propósito de la enseñanza de Jesús. Él estaba enfocando el perdón en el contexto de reconciliar una relación en la que uno está llamado a reprender el pecado y a guiar al otro al arrepentimiento. Dice que cuando alguien se arrepiente, debemos perdonarlo, aun si esa persona nos hiere repetidas veces. Vamos más allá de perdonar tres veces y no más. Eso fue una enseñanza radical en la época de Jesús, y todavía está vigente. Aun así, el pasaje no dice nada sobre lo que pasaría si la otra persona no quiere arrepentirse. Jesús solo dice que cada vez que hay arrepentimiento, debe haber perdón. Esto es parte de las «buenas nuevas» del evangelio.

EL GIRASOL

El método del Antiguo Testamento para perdonar es la base del dilema presentado en «El Girasol», la segunda parte del libro clásico *Los límites del perdón*, escrito por un sobreviviente del Holocausto: Simón Wiesenthal. En el libro describió un incidente que ocurrió cuando era un joven prisionero polaco-judío en un campo de exterminación nazi.

Antes de que lo encarcelaran, Wiesenthal observó cómo los nazis obligaron a su madre entrar en un vagón de carga atestado de otras ancianas judías, después de lo cual nunca más la volvió a ver. Y tuvo que observar a los nazis dispararle a su abuela hasta matarla en la escalera de su hogar. Al final, ochenta y siete parientes más de Wiesenthal morirían durante los horrores del Holocausto, aun el mismo Wiesenthal sobrevivió y más tarde se convirtió en el principal cazador de nazis del mundo.

Un día de 1944, sin embargo, a Wiesenthal y algunos de sus compañeros prisioneros les asignaron que acarrearan la basura de un hospital provisional para víctimas alemanas. Mientras estaba en el edificio, en la que fuera la escuela a la que asistió Wiesenthal, una enfermera de la Cruz Roja se le acercó y le preguntó si era judío. Cuando le confirmó que lo era, ella le hizo señas para que la siguiera y lo condujo por una escalera que bajaba hasta un pasillo que daba a un cuarto pequeño y oscuro donde yacía un solitario soldado muy vendado. El rostro del hombre estaba cubierto de gasa blanca, con aberturas para su boca, nariz y oídos. Luego la enfermera dejó a Wiesenthal solo con el malherido soldado.

«Me llamo Karl», dijo una voz desde el interior de los vendajes. «Debo contarte de esta horrible acción, y te lo cuento porque eres judío».

Wiesenthal se sentó en el borde de la cama y Karl comenzó su historia. Le dijo cómo había crecido en el catolicismo, pero que había perdido su fe cuando llegó a formar parte de las Juventudes Hitlerianas. Le dijo que había servido con distinción en las SS, pero que hacía poco lo habían herido de gravedad en el frente ruso.

Tres veces mientras Karl hablaba, reflejando su estado de debilidad en su voz, Wiesenthal se separó como si fuera a marcharse. Cada vez el soldado extendía la mano, lo asía con fuerza y le rogaba que se quedara. Por último, comenzó a hablar sobre algo que le pasó mientras estaba en Ucrania.

En la ciudad de Dnipropetrovsk, las trampas explosivas dejadas por los soldados rusos en retirada mataron treinta de los hombres de la unidad de Karl. En venganza, los soldados nazis acorralaron a trescientos judíos, los metieron en una casa de tres pisos, la rociaron con gasolina, le lanzaron granadas, y la dejaron toda en llamas. Karl y sus hombres rodaron la casa, preparados para dispararle a cualquiera que tratara de escapar.

«Escuchamos los gritos y vimos las llamas devorar en su camino un piso tras otro», continuó Karl. «Teníamos nuestros rifles listos para dispararle a cualquiera que tratara de escapar de ese infierno en llamas [...] Los gritos procedentes de la casa eran horribles. El denso humo manaba y nos ahogaba»[2].

En este punto Wiesenthal se soltó de la mano de Karl, pero enseguida Karl se aferró de nuevo y lo sujetó con más fuerza.

«Por favor, por favor», tartamudeó, «no te vayas. Tengo más que decir... Detrás de las ventanas del segundo piso, vi a un hombre con un niño pequeño en brazos. Sus ropas estaban ardiendo. A su lado estaba parada una mujer, sin dudas la madre del niño. Con su mano libre el hombre cubría los ojos del niño... luego saltó a la calle.

»Segundos más tarde lo siguió la madre. Entonces de las otras ventanas caían cuerpos en llamas... Les disparamos... ¡Ay, Dios!»

Al final, Karl dijo: «Yo me quedé aquí con mi culpa. En las últimas horas de mi vida tú estás conmigo. No sé quién eres, solo sé que eres un judío y eso es suficiente». Karl se sentó y juntó sus manos como si orara. Luego dijo: «Quiero morir en paz, y por eso necesito[...] sé que lo que te dije es terrible. En las largas noches mientras he estado esperando la muerte, una y otra vez he anhelado hablar sobre esto con un judío y suplicarle perdón»[3].

Wiesenthal describió los pensamientos que corrían por su mente mientras estaba allí en silencio. «Miraba por la ventana. La fachada del edificio de enfrente estaba inundada de la luz solar. El sol estaba alto en los cielos. Solo había una pequeña sombra triangular en el patio. ¡Qué contraste entre la gloriosa luz del sol afuera y la sombra de esta bestial época en la cámara de la muerte! Aquí yace en cama un hombre que deseaba morir en paz, pero que no podía debido a que el recuerdo de su terrible crimen no lo dejaba descansar. Y a su lado sentado un hombre condenado también a morir, pero que no quería morir porque anhelaba ver el final de todo el horror que dañaba en gran medida el mundo[…] Al final puse en orden mi mente», escribió, «y salí de la habitación sin decir una palabra»[4].

¿DEBIÓ PERDONAR?

Es obvio que Wiesenthal sobrevivió al Holocausto, pero quedó obsesionado por esa experiencia. Se preguntaba si había hecho bien al salir sin responderle al soldado moribundo. Se lo preguntaba a sus compañeros, algunos de los cuales eran judíos devotos que sabían la ley y a uno que estaba estudiando para ser sacerdote. Ninguna de las respuestas le satisfizo.

Unos años más tarde escribió la historia en detalles. Luego les preguntó a treinta y dos hombres y mujeres de los más religiosos y éticos que pudo encontrar «a fin de que mentalmente cambiaran de lugar conmigo y se hicieran la pregunta crucial: «¿Qué debía haber hecho?»[5]. Sus respuestas están en la segunda mitad del libro. (En la segunda edición del libro, se incluyeron veintiuna respuestas adicionales).

De los treinta y dos entrevistados originales, solo seis dijeron que Wiesenthal se había equivocado en no ofrecerle perdón al alemán. Una colaboradora, la novelista Cynthia Ozick, comentó primero sobre el acto inconsciente de Wiesenthal de espantar una mosca del rostro de Karl mientras hablaba. Luego resumió sus observaciones al decir: «Que el SS muera sin absolución. Deja que vaya al infierno. Más pronto va una mosca a Dios que él»[6].

El profesor Alan L. Berger señaló que el judaísmo enseña que existen dos tipos de pecados. Uno lo cometen los humanos contra Dios y el otro lo cometen los humanos contra otros humanos. Dijo que podemos ofrecer perdón a uno que ha pecado contra nosotros, pero no podemos perdonar a uno que ha quebrantado la ley de Dios y le ha quitado la vida a otro. El único en esa situación que tiene el derecho de perdonar es el asesinado, y puesto que está muerto, el perdón es imposible.

Robert McAfee Brown, profesor emérito de Teología y Ética en la Pacific School of Religion, describió la comparecencia de un sobreviviente del Holocausto que habló en un acto en memoria de los que habían muerto. El tema del orador era claro: *Nunca se olvida, nunca se perdona*. A continuación pasó a hablar de que nunca debemos olvidar, y «que nunca *debemos perdonar* parecería seguir la misma lógica severa»[7] de *nunca se olvida*. Brown luchaba con la idea de que perdonar podía tomarse en el futuro como señal de que uno puede actuar sin temor al castigo. Luchaba con la idea de que el perdón podía ser una virtud «débil» y consideraba que era como condonar el mal. Al igual que cada uno de los colaboradores, abordó el tema de la enormidad de la difícil situación de Wiesenthal.

En la segunda edición del libro, Dannis Prager, anfitrión de programas de entrevistas de la radio, habló de las dificultades de Wiesenthal y concluyó su comentario con una clara declaración de la dicotomía entre la enseñanza judía y la de Jesús. Según Prager era evidente que para un judío era un mal moral perdonar a un hombre que había quemado vivas familias enteras, pero para el cristiano era igual de obvio que uno debe perdonar a tal hombre. Prager comprendía la diferencia entre las enseñanzas del Antiguo Testamento y la nueva y radical enseñanza de Jesús.

ENSEÑANZAS JUDÍAS SOBRE EL PERDÓN

¿Qué aprendemos de la lucha de Wiesenthal? Quizá el mensaje más sólido es ver cómo la mayor parte del mundo considera casi siempre el perdón. El perdón es arbitrario; es injusto; se opone de manera abierta a la lógica y la razón humana, a menos que el ofensor se arrepienta y pida perdón. El perdón debe ser condicional. Requiere arrepentimiento y, por lo tanto, existen algunas cosas que son imperdonables.

Esta enseñanza judía la resume Ramba'm en Hiljot, Teshuvá 2:9-10, donde escribe:

El arrepentimiento y el Yom Kippur solo expían los pecados entre el Hombre y Dios tales como comer alimentos prohibidos o participar en relaciones sexuales prohibidas. Los pecados entre un hombre y su compañero, tales como golpear, maldecir o robar nunca se perdonan hasta que uno paga la deuda y aplaca a su prójimo. Aun si devuelve el dinero de la deuda, debe pedir perdón. Aun si solo habló mal de él, debe aplacarlo y suplicar que le perdone. Si su compañero se niega a perdonarlo, debe entonces traer un grupo de tres de sus amigos (según cabe suponer, los amigos de la parte injuriada) e ir a él y pedirle (perdón). Si aun así no lo perdona, debe ir a él una segunda vez y una tercera vez (con un grupo diferente de tres personas). Si todavía se niega a perdonarlo, él puede desistir y el pecador es el otro. Si (la parte injuriada) es su maestro (rabino), debe ir a él incluso mil veces hasta que le perdone.

Una persona que no perdona cuando se le pide que lo haga se considera cruel. Sin embargo, se le debe pedir que lo haga, antes que pueda conceder el perdón. Esto es perdón condicional.

EL PERDÓN CONDICIONAL
DE LOS CRISTIANOS

El concepto del perdón condicional no está limitado a los judíos. Demasiados cristianos todavía lo ven a la misma luz. Escoja cualquier libro sobre el perdón, o sobre hacer daño y el enojo, y lo más probable es que descubra que el arrepentimiento del ofensor es esencial en la solución del proceso.

Por ejemplo, un folleto publicado por Radio Bible Class, *Cuando perdonar parece imposible*, declara:

El perdón es una de las doctrinas más malentendidas de la vida cristiana. Muchos creen que el perdón nos exige la absolución incondicional de otros por los agravios pasados. Dan por sentado que debemos perdonar a fin de amar. Otros han adoptado la actitud de «te perdono por mi propio bien» que tiene el perdón como un medio de liberarnos del cáncer de la amargura y del fuego de la ira. Por consiguiente, de muchas maneras diferentes el perdón se ve como una oferta incondicional de absolución que dice: «No importa lo que me hiciste, te perdono»[8].

No entiendo bien por qué el autor de este folleto está tan opuesto a la idea de «te perdono por mi propio bien», puesto que admite que el perdón nos libera de los pecados de la amargura y la ira. Sin embargo, captamos algo del razonamiento del autor en un ejemplo que da para mostrar cuándo puede ser dañino el perdón incondicional.

Uno se estremece al pensar en una esposa que le ofrece perdón a un esposo alcohólico contumaz que la ha golpeado en privado y que la ha puesto en ridículo con sus aventuras sexuales. ¿Es tal perdón el tipo de amor que necesita el esposo? ¿Lo beneficia liberarlo de responsabilidad por las depravadas violaciones de sus votos matrimoniales?

El autor da por hecho que la respuesta sería «no», ¿pero a qué se debe que iguale el perdón incondicional con ser una víctima pasiva?

En un breve párrafo, el folleto dice:

A veces el amor requiere que digamos: «Padre, perdónalos, porque no saben lo que hacen» (Lucas 23:34, RV-60). Otras veces el amor nos exige que perdonemos una y otra vez (véase Mateo 18:21-22). Y de vez en cuando el amor nos exige que retengamos el perdón por el bien del que nos hizo daño[9].

El autor, sin embargo, no presenta apoyo bíblico para esta última declaración. Es más, ningún pasaje bíblico del Nuevo Testamento respalda ese concepto del Antiguo Testamento.

Mucho de lo que dice el folleto es bueno, pero en el proceso del perdón que indica, el paso del arrepentimiento está justo en el centro, precedido por el paso del enfrentamiento. Se parece un tanto a lo que dice la Mishná, una compilación que tiene siglos de antigüedad de comentarios rabínicos sobre el Pentateuco. Uno debe enfrentar al pecador, y si este se arrepiente, uno debe perdonar. Entonces, si el pecador no se arrepiente, no se debe perdonar.

No obstante, ¿qué debemos hacer si no hay arrepentimiento? ¿Retenemos el perdón? Y si hacemos eso, ¿cómo podemos ser obedientes y perdonadores discípulos de Jesucristo?

Ciertamente, una vez que se incluyen el enfrentamiento y el arrepentimiento del ofensor como partes del proceso, el perdón no se convierte en una carga. Jesús, por otra parte, adopta un método mucho más radical y liberador, al enseñar que el perdón es un *regalo* de la gracia.

UN PERDÓN RADICAL

A lo que Jesús nos llama en Mateo 6 y Mateo 18 va más allá de las enseñanzas del Antiguo Testamento. No existe límite para la cantidad de veces que debemos perdonar. Perdonamos incluso en ausencia del arrepentimiento, pues el perdón ahora es incondicional. Tenemos que perdonar a nuestros enemigos, aun cuando sigan siendo nuestros enemigos. ¿Y por qué tenemos que perdonar así? Tenemos que perdonar de acuerdo a lo mucho que nos ha perdonado nuestro amante Padre celestial.

El apóstol Pablo comprendía bien este concepto. En Romanos 5, usa tres frases para describirnos: «incapaces», «pecadores», «enemigos» de Dios. Escribe:

> Cuando nosotros éramos incapaces de salvarnos, Cristo, a su debido tiempo, murió por los pecadores. No es fácil que alguien se deje matar en lugar de otra persona. Ni siquiera en lugar de una persona justa; aunque quizás alguien estaría dispuesto a morir por la persona que le haya hecho un gran bien. Pero Dios prueba que nos ama, en que, cuando todavía éramos pecadores, Cristo murió por nosotros. Y ahora, después que Dios nos ha hecho justos mediante la muerte de Cristo, con mayor razón seremos salvados del castigo final por medio de él. Porque si Dios, cuando todavía éramos sus enemigos, nos reconcilió consigo mismo mediante la muerte de su Hijo, con mayor razón seremos salvados por su vida, ahora que ya

Una vez que se incluyen
el enfrentamiento y el arrepentimiento
del ofensor como partes del proceso,
el perdón no se convierte en una carga.

Jesús, por otra parte, adopta un
método mucho más radical y liberador,
al enseñar que el perdón
es un regalo de la gracia.

estamos reconciliados con él. Y no solo esto, sino que también nos gloriamos en Dios mediante nuestro Señor Jesucristo, pues por Cristo hemos recibido ahora la reconciliación (Romanos 5:6-11, DHH)

Esa es la naturaleza del amor y el perdón que nos concedió Dios mientras éramos todavía sus enemigos. Ese es el momento en que nos perdonó la deuda que nunca lograríamos pagar. Jesús la pagó por completo, a fin de que pudiéramos experimentar su increíble e incondicional perdón. Todo lo que se requiere de nosotros es nuestra respuesta y disposición para recibir su perdón. Y debido a la realidad de ese perdón, ¡nos volvemos «perdonadores»!

Considere la historia de Corrie ten Boom, a la que, como a Wiesenthal, la encarcelaron en uno de los campos de exterminación nazi durante la Segunda Guerra Mundial. Un día, después que terminara la guerra, predicó en Munich sobre el tema del perdón. Después del culto se vio cara a cara con un hombre que había sido uno de sus guardas en el campo. Por un momento, se paralizó, inundada con los horribles recuerdos de aquel lugar. Cuenta que había orado: «Señor, perdóname, porque no puedo perdonar», pero que mientras oraba, el odio desapareció y pudo darle la mano y experimentar el perdón.

O considere la historia de Martin Luther King, hijo. Mientras se encontraba en una cárcel de la ciudad de Birmingham, en el exterior había multitudes que pedían a gritos que lo mataran y los policías atacaban a sus seguidores desarmados. Mientras ocurría todo esto, escribió que había decidido ayunar por varios días como un acto de disciplina espiritual, a fin poder perdonar a los que todavía pedían su muerte.

¿O qué me dice del acto del papa Juan Pablo II? Descendió a las profundidades de la cárcel de Rebibbia, Roma, para visitar a Mehmet Alí Agca, el hombre que trató de asesinarlo durante una ceremonia pública en la plaza de San Pedro, y casi lo logró. El papa dijo dos simples palabras: «Te perdono». El mundo quedó atónito ante este acto, y hasta la revista *Time* le dedicó un artículo de fondo a lo que consideraba «un acontecimiento extraordinario». Fue un acto de perdón incondicional.

¿O qué me dice de Nelson Mandela, a quien encarcelaron durante veintisiete años debido a su oposición al *apartheid*? Mientras estaba en prisión lo obligaban a trabajar en una cantera, donde su vista se dañó severamente por la intensa luz y, a lo largo de esos años, la policía de seguridad estatal hostigó a su familia. Sin embargo, cuando al fin lo liberaron de la cárcel y se convirtió en el primer presidente elegido de forma democrática en Sudáfrica, invitó a sus carceleros blancos a que asistieran a la inauguración.

O piensa en el siervo de la parábola de Mateo 18. Pidió piedad, no perdón. Aun así, el rey, una ilustración del Dios que perdona, le ofreció su perdón, un regalo tan radical que nunca comprendió bien. Es evidente que se le dio perdón sin arrepentimiento. Es lamentable, pero fue un regalo que nunca estuvo dispuesto a recibir.

Nuestro mejor ejemplo de todos es el mismo Jesús, que define más aun su nuevo principio del perdón cuando en la cruz dijo: «¡Padre, perdona a toda esta gente [y a todos los que le siguen]! ¡Ellos no saben lo que hacen!» (Lucas 23:34, TLA). No había arrepentimiento en los que crucificaban a Jesús. Sin embargo, Jesús le pidió al Padre que los perdonara.

La iglesia comprendía muy bien este principio. Vemos el mismo principio en acción en Hechos 7:60, cuando apedreaban a Esteban debido a lo que sus oyentes judíos consideraban una blasfemia. Cuando estaba a punto de morir, gritó: «"¡Señor, no les tomes en cuenta este pecado!" Habiendo dicho esto, murió» (DHH). Esteban cumplió una condición de la enseñanza judía sobre el perdón: era al que estaban matando; solo él podía perdonar a los que pecaban en su contra. Pero también demuestra que el arrepentimiento no es un requerimiento del perdón, pues los que lo apedreaban, incluyendo al joven Saulo, que estaba allí presenciando lo que pasaba, sin duda no mostraban espíritu alguno de arrepentimiento. Esto es parte de la enseñanza radical de Jesús sobre el perdón.

Algunos colaboradores en el libro de Wiesenthal comprendían la naturaleza radical de la enseñanza de Jesús sobre el perdón, pero no estaban de acuerdo con ella. Creían que era una enseñanza peligrosa que a la larga suavizaba el agravio. Martin E. Marty, profesor de historia religiosa en la Universidad de Chicago y editor principal de la revista *Christian Century*, escribió:

> ¿Existe algún tipo de situación donde la afrenta sea tan burda y enorme que se deba retener el perdón ante lo que parece ser verdadera penitencia? Mi respuesta sería que en cada circunstancia que pueda imaginar, más se obtiene del perdón que de la negación de este. Pero debo preguntarme: ¿qué es lo que temo o me preocupa, qué causa que haga ejem o conteste con evasivas, que vacile al hablar y me aclare la garganta, que esté dudoso de responder así?[10]

Marty explicó a continuación su preocupación en cuanto a la «gracia barata», en cuanto a perdonar con demasiada facilidad y dejar que los asesinos y enemigos queden libres de responsabilidades. También pensaba que, si el perdón se daba sin restricciones, los crímenes contra las personas se tomarían menos en serio.

Prager estuvo de acuerdo, y dijo: «La doctrina cristiana del perdón ha suavizado la ira cristiana contra los que los oprimen; el concepto de que uno debe orar por los enemigos ha llegado a significar "ora por ellos, no pelees contra ellos"».

En otras palabras, el mundo no puede sobrevivir al sencillo perdón de los cristianos. Pero como con la gracia barata, el perdón barato desaparece como concepto cuando uno considera el precio que Jesús pagó por nuestro perdón. El perdón incondicional genuino fluye del conocimiento pleno del tremendo precio que se pagó para que no solo podamos recibir perdón, sino también ser perdonadores.

Entonces, ¿por qué queremos aferrarnos a la vieja manera de perdonar? Quizá sea porque es conocida, o tal vez se deba a que tenga más sentido: es más lógico perdonar cuando hay arrepentimiento. Sin embargo, Jesús nos llama a un nivel más alto y profundo de perdón. Tenemos que perdonar incluso a nuestros enemigos, solo como un acto de obediencia, y nuestra capacidad de perdonar de esa manera fluye de nuestra gratitud por lo que nos han perdonado.

PREGUNTAS A CONSIDERAR

1. ¿Cómo le habría respondido usted al hombre de la SS cuando pidió perdón?

2. ¿Por qué cree que el mundo no puede comprender el perdón incondicional?

3. ¿Qué le es más difícil de aceptar de la idea de ser un perdonador incondicional?

CAPÍTULO CINCO

DECIDAMOS PERDONAR: LOS FALSOS CAMINOS QUE PODEMOS TOMAR

La primera vez que visité París, fui al monumento
de la deportación de los franceses que murieron
en los campos de concentración alemanes.
Quedé horrorizado por la inscripción
sobre la puerta principal.

«Perdonemos, pero nunca olvidemos».

De repente, me di cuenta que la verdadera
virtud llegó precisamente al perdonar mientras
se recordaba. Si uno pudiera olvidar,
no tendría que perdonar. Ni siquiera sería necesario.

VIRGIL ELIZONDO[1]

Es tiempo ahora de considerar cómo podemos perdonar lo que parece ser imperdonable. Mientras lo hacemos, es importante recordar que nuestra capacidad de perdonar fluye de nuestro conocimiento pleno del perdón de Dios. Mientras más entendemos cuánto se nos ha perdonado, más somos capaces de perdonar.

El proceso siempre comienza en el mismo lugar, con la afrenta que nos causa dolor. Sin embargo, hacia dónde conduce el proceso desde allí depende del camino que tomamos al enfrentar lo que nos pasó. El proceso de perdonar puede hasta sufrir un cortocircuito, con el resultado de que terminamos no perdonando o, en términos de restauración, en un callejón sin salida. Este capítulo examinará dos variantes comunes de cómo ocurre esto.

EL CAMINO DE LA NEGACIÓN

El primer camino disponible para nosotros es uno corto (véase la ilustración #1). Comienza con la afrenta, cuando experimentamos el daño. Al enfrentar una decisión sobre qué vamos a hacer con la afrenta, entramos o en la negación o en culparnos a nosotros mismos.

Si descendemos por el Camino de la Negación, haremos una de dos cosas. O bien negaremos que el daño ocurrió o nos culparemos por lo que pasó. Cualquiera de los dos es un absoluto, una dicotomía: Hacemos uno o el otro, pero no ambos.

Hace varios años, trabajaba yo con un hombre de mediana edad, al que llamaré Marcos. Había venido a terapia para ocuparse de su matrimonio, pero a la sazón trataba de enfrentarse a algunas experiencias muy dolorosas que había tenido con su padre. No solo ocurrieron cuando lo criaban, sino que continuaban hasta el tiempo presente. Marcos no podía siquiera estar alrededor de su padre sin que este dijera o hiciera algo que le doliera en extremo. Esto parecía ser la forma normal de actuar del anciano, debido a que hacía lo mismo con cada uno de sus

ILUSTRACIÓN #1

EL CAMINO DE LA NEGACIÓN

☐ Ocurre el agravio.

☐ Experimentamos dolor.

☐ Tomamos una decisión.

☐ No negamos o nos culpamos.

☐ Nos cerramos emocionalmente.

☐ Nos deprimimos

Si descendemos por el Camino
de la Negación, haremos una
de dos cosas. O bien negaremos
que el daño ocurrió o nos
culparemos por lo que pasó.

hijos, así como con las esposas de estos y hasta con los nietos. Sin dudas, según la propia confesión de Marcos, era un anciano cruel y miserable, y lo había sido por tanto tiempo como Marcos podía recordar.

Si trazáramos un gráfico del proceso de Marcos, podríamos comenzar con múltiples ofensas que habían ocurrido a lo largo de los años. Él podía recordar con facilidad las heridas que había experimentado como resultado de las ofensas de su padre, y podía narrar historias que ilustran las heridas que había sentido.

Apenas estábamos comenzando este proceso, cuando Marcos dejó de venir a la terapia. Informó que había surgido una emergencia de familia con la que tenía que lidiar, y que llamaría y programaría otra cita tan pronto como fuera posible.

No supe más de él por unos dos años. Entonces llamó y programamos una cita. Después de «ponerme al corriente» sobre la emergencia familiar, le pregunté cómo le había ido con su padre. Me contó que su padre hacía alrededor de un año que había muerto. Le expresé mis condolencias, y luego hablamos algo sobre cómo había enfrentado la muerte de su padre, de qué manera ocurrió esta y cómo se encontraba su madre.

Después fui más específico, pues deseaba saber más sobre el impacto de la muerte de su padre, a la luz de los dolorosos asuntos de los que hablamos dos años antes. Su respuesta me impactó.

«¿Qué problemas?», me preguntó. «Mi padre era un hombre maravilloso. No sé a lo que se refiere».

Me tomó por sorpresa y comencé a revisar mis notas, para ver si había recordado mal. Pero no, allí en las notas estaban algunas de las cosas que había dicho sobre su padre y algunas de las afrentas que había recibido y que me había descrito. Era el mismo hombre, pero de repente su padre parecía haberse convertido en otra persona. No podía decir nada, ni siquiera citar cosas que me había dicho dos años antes, que cambiara la opinión que en aquel momento tenía de su padre. Este se había convertido en un hombre maravilloso que jamás y nunca había hecho las cosas de las de que hablamos al principio. Ya no hablaba del dolor que había experimentado en sus relaciones con su papá. Ahora lo pasaba por alto y expresaba negación.

Marcos había escogido el Camino de la Negación. Nunca sobrepasamos ese punto, ni yo volví a ver a Marcos después de esa única sesión, aunque podía presagiar lo que le pasaría con el tiempo: depresión y total desolación.

Otras formas de negación se ven en la actitud: «No es gran cosa. No, no es problema». Empequeñecemos lo que nos pasó y luego desestimamos el agravio por no ser «gran cosa». Puede que nos digamos que comprendemos por qué la persona hizo lo que hizo. Puede que digamos que sabemos por lo que esa persona ha pasado en la vida, y ¿qué se puede esperar de alguien así? Olvídelo; no hay problema.

Otras veces quizá descartemos la persona y también lo que nos hizo. Suavizamos lo que nos hicieron, y no queremos reconocer el dolor que hemos sentido, pero por dentro tenemos eliminado al ofensor de nuestra vida. Dejamos de hablarle a esa persona o incluso no hablamos de ella. Si el ofensor lo advierte y hace una conexión entre lo que estamos haciendo y la ofensa que hizo, y viene a vernos para disculparse, es probable que reduzcamos al mínimo la ofensa, incluso ante el ofensor.

Cierre emocional

Cuando escogemos el Camino de la Negación, nos movemos a un lugar de cierre emocional: el único camino, en realidad, en el que podemos mantener nuestra negación. No queremos que ninguna cosa, ningún sentimiento, ni ninguna persona nos recuerde lo que estamos negando.

Una cosa interesante sobre la negación es que su propósito principal es protegernos de la verdad. Solía pensar que la gente en negación estaba tratando de engañarme. Y *hacen* eso hasta cierto grado. Sin embargo, el propósito principal de la negación es el autoengaño. Escogemos la negación porque no podemos enfrentar la verdad. Quizá estemos protegiendo a la otra persona hasta cierto punto, pero casi siempre nos protegemos nosotros mismos de tener que lidiar con el dolor de lo que en realidad nos pasó.

Depresión

Una vez que una persona comienza a cerrarse emocionalmente, debe llegar a ser más selectiva en cuanto a las personas que frecuenta. No puede darse el lujo de estar con otros que les recuerde el dolor del pasado o que conozcan demasiado esas experiencias del pasado.

No pasó mucho tiempo para que Marcos dejara a su esposa y cortara el contacto con sus hijos. El próximo paso fue abandonar la zona, buscar una esposa diferente y comenzar una nueva vida sin recuerdos de su doloroso pasado. Eso parecía que podría resultar, pero no fue así para Marcos. Se volvió depresivo, y el nuevo dolor de estar separado de sus hijos sirvió para recordarle la herida y el dolor que había experimentado con su padre. Espero que el dolor de su depresión y de estar separado de sus hijos en algún momento sean la fuerza suficiente que lo llevará a enfrentarse a su pasado y el pasado que creó, y tome el camino que conduzca al perdón.

Culparse a sí mismo produce el mismo resultado que la negación

Otra forma en que alguien puede ir de cabeza al Camino de la Negación es quedarse atrapado en el ciclo de culparse a sí mismo: Todo el problema es culpa mía. Tengo la culpa de que me hicieras todas esas cosas malas. Me lo merezco. Lo que hace que esto sea una nueva manera de tomar el Camino de la Negación es que culparnos es otra forma de negación, puesto que solo se considera un absoluto: *Todo* es culpa mía. Yo *me* echo la culpa. He resuelto el problema al aceptar el cien por ciento de la culpa. No hay nada más que discutir. Caso cerrado. Esto no es nada más que otra manera de vivir en el mundo de la negación.

Conversé con una joven que creció escuchando la crítica constante de sus padres. Cuando comenzó a hablar sobre las experiencias dolorosas de su niñez, enseguida dijo: «Pero era culpa mía. Yo era mala». Independientemente de lo que discutiéramos, su respuesta siempre era la misma: «Era culpa mía ». Con ese tipo de actitud, no podía haber mucha discusión porque el caso ya estaba cerrado, ella se ha asignado la culpa y continuaba con su vida tal como estaba.

Los que están en el Camino de la Negación comienzan culpándose y terminan dando el siguiente paso: acallando sus emociones. Quizá digan que sienten emociones, pero lo que en realidad experimentan es aversión contra ellos mismos. Debido a tal distorsión, no pueden sentirlas de verdad. Es un falso sentimiento que les tiende una trampa. No pueden cambiar porque se niegan a transformar la manera en que se ven a sí mismos. Si no son culpables en lo absoluto, el hecho en cuestión tiene que ser culpa de otros. Por alguna razón, no pueden enfrentar esa verdad. Quizá siente cierta sensación de control del asunto al declararse culpable. Si la culpa fuera de otra persona, tendrían algún control sobre la situación. Por lo tanto, acallan sus verdaderos sentimientos. Y cada vez que hacen eso, el resultado final siempre es desesperación y depresión.

EL CAMINO DE LA AMARGURA

El Camino de la Amargura (véase la ilustración #2) comienza de la misma manera que el Camino de la Negación. Existe un agravio que resulta en dolor. Contamos y volvemos a contar la historia; luego tomamos una decisión. La gente tiende a elegir el Camino

ILUSTRACIÓN #2

EL CAMINO DE LA AMARGURA

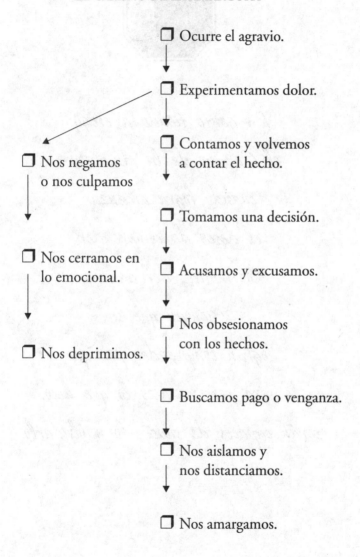

☐ Ocurre el agravio.

☐ Experimentamos dolor.

☐ Nos negamos
o nos culpamos

☐ Contamos y volvemos
a contar el hecho.

☐ Tomamos una decisión.

☐ Nos cerramos en
lo emocional.

☐ Acusamos y excusamos.

☐ Nos obsesionamos
con los hechos.

☐ Nos deprimimos.

☐ Buscamos pago o venganza.

☐ Nos aislamos y
nos distanciamos.

☐ Nos amargamos.

La gente tiende a elegir
el Camino de la Amargura
cuando logra alcanzar
el deseo de comprender
los motivos del agravio.

Piensan que si
logran comprender por qué
la otra persona hizo lo que hizo,
serán capaces de superarlo y olvidarlo.

de la Amargura cuando logra alcanzar el deseo de comprender los motivos del agravio. Piensan que si logran comprender *por qué* la otra persona hizo lo que hizo, serán capaces de superarlo y olvidarlo.

Acusados o excusados

En su empeño por entender, los que escogen este camino a menudo vacilan entre *acusar* a la otra persona por el mal que ha hecho y tratar de *excusarla*. Debe existir una razón, se dicen, y por eso buscan alguna nueva información que quizá los ayude a dilucidar el asunto. Aunque quizá consigan nueva información que sin dudas parece probar que la otra persona es culpable de la ofensa, todavía hay suficiente duda que conduce a continuar la búsqueda. Llega más información, y parece excusar en parte a la otra persona, pero el dolor permanece. Van de una parte a otra entre excusar y acusar en un ciclo que se perpetúa.

Obsesionados con el hecho

A la larga, la necesidad de comprender los guiará a una obsesión con el hecho nocivo. Sharon es un ejemplo de lo que puede pasar cuando a uno lo motiva la necesidad de comprender algo que nunca se podrá entender por completo. Ella y su esposo Jack vinieron a consejería unos dos años después de que Sharon descubriera que él tenía una amante. Cuando Sharon se enfrentó a Jack, este enseguida lo confesó y rompió por completo con la otra persona. Era casi como si se hubiera sentido aliviado de que se hubiera «descubierto».

Como a menudo es el caso, Jack se sentía tan culpable que le respondía a Sharon cada una de sus preguntas, y le daba muchos más detalles de los que ella necesitaba. Mientras más sabía, más cosas con qué lidiar tenía en su memoria, pero eso no la detenía. Quería saber *por qué* Jack le había hecho algo tan hiriente, y Jack nunca le tenía una respuesta muy satisfactoria.

Puesto que Jack no podía presentar suficientes razones que explicaran el porqué del amorío, Sharon tuvo un almuerzo con la otra mujer. Tenía una lista de preguntas y una vez más obtuvo más información de la que le era posible procesar sin una tremenda cantidad de dolor adicional. Al final, almorzó otra vez con la otra mujer y le hizo algunas preguntas nuevas. Una vez más, las respuestas de la mujer nunca se acercaron siquiera a la respuesta del «porqué», que Sharon buscaba con desesperación. Cuando Jack trataba de que dejara el asunto, ella pensaba que solo trataba de excusar su comportamiento. Con el tiempo, Jack aprendió a guardar silencio.

Sharon por último decidió que ella y Jack necesitaban consejería matrimonial. Esperaba que el consejero pudiera ayudarla a comprender por qué Jack había hecho algo tan terrible. Al principio, traté de responder las preguntas de Sharon, pero nada de lo que decía la satisfacía de veras. Al final, le dije que estaba en una búsqueda imposible. No puede haber nunca una respuesta satisfactoria al porqué un cónyuge engaña en su matrimonio. De todas maneras, comencé a sentir pena por Jack. Durante casi cuatro años pagó un tremendo precio por su imprudente y tonto comportamiento. Sin embargo, Sharon estaba aferrada a un camino que no la conducía a ninguna parte, sino a más dolor.

El asunto de la culpa

El comportamiento de Sharon se puede interpretar como una manera de vengarse de Jack, pero no creo que esa fuera su motivación. ¿Qué la habría motivado durante más de cuatro años a seguir buscando, a fin de mantener el centro de atención en Jack? A Sharon quizá la motivara la culpa que había experimentado como resultado del amorío de Jack. Por muy irracional que pueda parecer, el cónyuge traicionado a menudo lucha con la culpa. Muchas veces existe una confusión total en cuanto a la responsabilidad por lo que ha ocurrido. El traicionado cree que de algún modo falló como cónyuge, lo que causó que su compañero se volviera a otra persona.

Mientras Sharon buscaba la respuesta en Jack, no tenía que reconocer sus persistentes sentimientos personales. No enfrentaba preguntas similares a estas: «¿Cómo he fallado tanto como esposa que mi esposo tuvo que buscar satisfacción en otro sitio?» o «¿Por qué no tuve la capacidad de mantenerlo en el hogar?». Estos inconfesables pensamientos le impedían darse cuenta de si continuaba centrando su atención solo en comprender el porqué Jack había hecho algo tan malo.

Aunque a veces una obsesión con la comprensión del hecho sirve para más de un propósito, mientras que Sharon no estuvo dispuesta a considerar esos mismo asuntos de vergüenza, se fue atrincherando en cuestiones que solo conducen a la amargura.

A la larga, los sentimientos de vergüenza se hacen más fuertes y hace falta más esfuerzo de nuestra parte para mantenerlos a distancia confortable. Esto significa que la búsqueda de motivos puede muy bien conducir a la búsqueda de venganza.

En busca de pago o venganza

Una obsesión con el hecho doloroso puede a la postre conducir a una demanda de pago de la deuda.

Hace poco conversé con una pareja que al parecer venían a consejería debido a una aventura extramarital que la esposa había tenido dos años antes. Me llevó algún tiempo ver el panorama completo. Habíamos progresado bastante cuando, de repente, algo provocó la ira de la esposa hacia su esposo por un amorío que él había tenido diez años antes. Él esposo entonces se enojó con ella por «traer eso a colación de nuevo» y pronto ambos estaban fuera de control.

Una vez que se calmó todo, me di cuenta de que estaban lidiando con dos aventuras extramaritales en lugar de una. Siempre que nos parecía que hacíamos progresos, uno de los dos explotaba por lo que el otro había hecho y volvían a una acalorada discusión sobre quién había herido más a quién.

Esta pareja había tomado el Camino de la Negación respecto al romance del esposo diez años antes, pero las heridas y los resentimientos ocultos en lo más profundo inundaban con facilidad la superficie cada vez que la pareja trataba de lidiar con la infidelidad más reciente de la esposa. Decían que querían perdonarse, pero cada vez que se acercaban al principio del proceso del perdón, uno o el otro se empecinaba, empeñado en la búsqueda del pago por las heridas del pasado y en no querer cancelar deudas del pasado de la otra persona.

Aislamiento o distanciamiento

A la larga, esta pareja se separó y distanció, no solo el uno del otro, sino también de su círculo de amigos. Estaban avergonzados de que un proceso en el que habían comenzado tan bien hubiera fallado de forma tan miserable.

Sin embargo, hay también algo sobre escoger el Camino de la Amargura que conduce al aislamiento y la soledad. Cuando llegamos a obsesionarnos con el hecho vejatorio y no podemos o no queremos que sane, apartamos a la otra persona de nosotros. Estamos tan absortos en nuestro propio proceso que parece que ya no nos interesa lo que está pasando en la vida de la otra persona. Nos convertimos en egocéntricos, o «centrados en el hecho doloroso». De todos modos no deja espacio para otro en nuestra vida, y cuando nos damos cuenta de lo que ha pasado, quizá estamos demasiado enojados o heridos incluso para que nos importe.

El lugar de la amargura

Existe un solo lugar al que se puede llegar en este punto y ese es el lugar de la amargura. ¿Por qué alguien va a querer llegar a ese lugar? En realidad, es demasiado fácil. Los sentimientos de amargura se pueden justificar demasiado fácilmente

Si Sharon se da cuenta en algún momento de que ha malgastado todos esos años en una búsqueda infructuosa, puede decir con facilidad: «Bueno, tengo el derecho a estar amargada. Él violó nuestro matrimonio, y todo lo que hice fue en un intento de compensar ese mal. No dio resultados. Me imagino que todos los hombres son iguales. ¡Ninguno tiene valor ni es digno de confianza! ¿Quién no va a amargarse por eso?». Quizá sienta que sus sentimientos son justificados, pero lo cierto es que se habrá convertido en esclava del pasado si ocurre eso. Estará atada al hecho doloroso, y su vida llegará a ser mucho menos de lo que Dios tenía la intención de que fuera. Nunca llegará a saber lo que hubiera experimentado si hubiera elegido esforzarse y perdonar.

Más aun, la Biblia nos recuerda que la amargura afecta también a los que nos rodean. Hebreos 12:15 dice que cada vez que brota la amargura, «hace daño y envenena a la gente» (DHH). Es probable que Jack viva en amargura ahora, junto con sus hijos y algunos amigos.

Sin embargo, no tenemos que tomar ninguno de esos dos caminos. Existe una tercera opción. Podemos tomar el Camino del Perdón, el cual exploraremos en el siguiente capítulo.

PREGUNTAS A CONSIDERAR

1. ¿Qué hechos ha negado que le han hecho daño en la vida?

2. ¿Está atrapado en un patrón de culparse y odiarse a usted mismo?

3. ¿Hay alguien a quien necesita perdonar, pero en su lugar está tratando de comprender por qué esa persona hizo lo que hizo?

4. ¿Siente amargura hacia alguien? Si es así, tenga a esa persona en mente mientras lee el siguiente capítulo.

CAPÍTULO SEIS

EL CAMINO DEL PERDÓN

La persona hallará que es más barato perdonar
que resentirse. El perdón ahorra el gasto del enojo,
el costo del odio, el derroche del espíritu.

HANNAH MORE

Por fortuna, tenemos una tercera opción: el Camino del Perdón (véase la ilustración #3). Lo bueno es que no existe nada que ocurra en la vida que sea demasiado grande que nos impida tomar este camino. A veces nuestro dolor es tan intenso que nos parece que el perdón es imposible, pero con el tiempo, paciencia y mucho esfuerzo, podemos recorrer el Camino del Perdón. El intenso viaje quizá parezca demasiado largo, y el dolor más del que podemos soportar, pero todo en nuestro pasado puede y debe enfrentarse a través del perdón.

Una vez más, este camino comienza en el mismo punto de partida de los otros caminos. Somos víctimas de un doloroso agravio y sentimos una profunda herida y dolor. Contamos y volvemos a contar lo que nos pasó, pero cuando llegamos al punto de la decisión, nos movemos hacia un camino diferente, a uno que conduce a que seamos capaces de perdonar hasta lo imperdonable.

SITÚE LA CULPA EN SU DEBIDO LUGAR

Nuestra decisión en cuanto al camino a seguir está determinada por el lugar en que situemos la culpa.

Como vimos en el capítulo anterior, el Camino de la Negación o bien comienza con no culpar a nadie y negar la herida o con culparse uno mismo. El Camino de la Amargura comienza con un movimiento que se desplaza entre culpar a la otra persona y tratar de encontrar una razón excusable de su comportamiento. Cualquiera de estas decisiones interrumpe nuestro proceso de recuperación.

Quizá se sorprenda al saber que el Camino del Perdón también comienza con acusaciones. Sin embargo, ahora buscamos un lugar apropiado para la culpa. Uno puede decir que busca dónde situar la culpa de una manera muy responsable. Al principio tal lo amaran, Dios lo amó tanto que le perdonó por medio de la muerte de Cristo en la cruz. Lea de nuevo Romanos 5:1-11 y Mateo 18:21-35. Ore con sinceridad: Dígale a Dios que no quiere perdonar aun cuando sabe que eso es lo que Él quiere que haga. Pídale que lo ayude a querer perdonar.

SÉPTIMA PREGUNTA:
¿Cómo perdona uno cuando tiene que seguir viendo a la persona que lo agravió?

Es difícil perdonar cuando la persona que le ha herido sigue apareciendo en su vida. Su presencia es un recuerdo continuo del agravio. Por esa razón, quizá necesite establecer algunos límites temporales en cuanto a estar cerca de esa persona, aun si es de su familia. Note que es una separación temporal que le permita algún tiempo para sanar. Es posible que le diga algo así a la otra persona: «Necesito estar a solas por algún tiempo. Me comunicaré contigo más tarde».

Desde luego, si es su cónyuge, no pueden evitar verse. En esa situación, hace falta discutir con franqueza el proceso del perdón. Y su pareja necesita darle el tiempo que necesita a fin de sanar. Su búsqueda «demasiado rápida» del perdón no ayuda en el proceso de recuperación.

ALGUNOS PENSAMIENTOS FINALES

Lo que he descrito en este libro quizá parezca un proceso simple y claro que avanza con suavidad una vez que uno se embarca. Por lo general, no es tan sencillo. Sin embargo, no permita que esto lo detenga. Cuando sane de la herida que no merece, será un acto de obediencia que representa un nuevo comienzo. Algunas veces, ocurren los milagros, y Dios parece que interviene en el proceso de maneras que no había podido imaginar. Otras veces, debemos avanzar aunque con dificultad, al parecer por nuestra propia cuenta, siempre rumbo al perdón. Pero aun en esos momentos el milagro del perdón se está realizando. Dios siempre aplaude que nos dirijamos hacia el perdón: es el plan que tiene con nosotros. Cuando perdonamos, le damos la oportunidad a Dios de hacer milagros en nuestra vida a su manera y a su tiempo.

ILUSTRACIÓN #3

EL CAMINO DEL PERDÓN

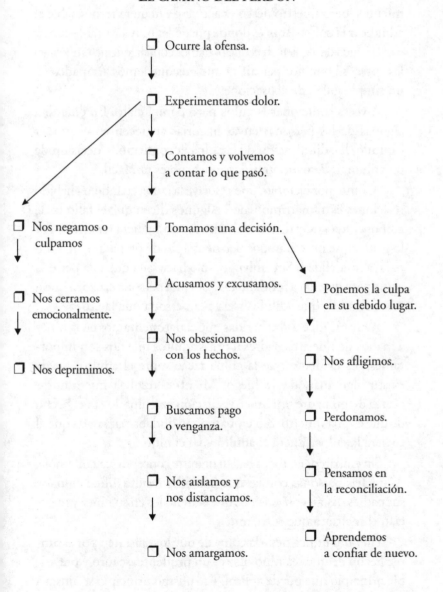

☐ Ocurre la ofensa.

☐ Experimentamos dolor.

☐ Contamos y volvemos a contar lo que pasó.

☐ Nos negamos o culpamos

☐ Tomamos una decisión.

☐ Nos cerramos emocionalmente.

☐ Acusamos y excusamos.

☐ Ponemos la culpa en su debido lugar.

☐ Nos deprimimos.

☐ Nos obsesionamos con los hechos.

☐ Nos afligimos.

☐ Buscamos pago o venganza.

☐ Perdonamos.

☐ Nos aislamos y nos distanciamos.

☐ Pensamos en la reconciliación.

☐ Nos amargamos.

☐ Aprendemos a confiar de nuevo.

vez no sienta mucha diferencia del primer escalón en los otros caminos. Es posible que comencemos con negación, con culparnos a nosotros mismos, acusando o excusando comportamientos, pero nuestro deseo es actuar de manera responsable al adjudicar la culpa. Aquí es donde puede ser muy favorable contar con la ayuda de alguien en el que podamos confiar, que no empeorará las cosas, ni que nos permitirá que nos quedemos atrapados en un simple juego de acusaciones.

A veces solucionar la culpa parece muy claro. En cuanto a algunas de las personas cuyas historias aparecen en el primer capítulo, la adjudicación de la culpa la confirmó la decisión de un tribunal. Pero en otras ocasiones, no es tan fácil.

¿Cómo, por ejemplo, uno resuelve la culpa cuando ha habido relaciones extramatrimoniales? Algunos dicen que el fallo es de ambos cónyuges, y de ciertas maneras, eso pudiera ser cierto. Por lo general, se necesitan dos personas a fin de preparar el terreno para la infidelidad. Sin embargo, solo hace falta que una persona actúe para que haya infidelidad. Solo una persona cruzó la línea, y la culpa hay que adjudicársela a la persona que la cruzó.

¿Qué me dice de las heridas que experimentamos en la niñez a manos de nuestros padres u otros adultos que nos son importantes? Es evidente que la culpa recae sobre el adulto. Puede existir algo más, desde luego. Mientras resolvía mis asuntos acerca de mi padre, mi única vacilación en culparlo era el hecho de que estaba muerto. Sin embargo, no dudaba para nada que él tuviera la culpa. Él era el adulto y yo el niño.

Sin embargo, no todos hallan que este concepto sea tan simple. A muchas personas con las que hablo les resulta difícil culpar a sus padres. Están convencidos que eran malos en su niñez y merecían el maltrato que sufrieron.

Un niño nunca tiene la culpa de que lo maltraten por el simple hecho de que sea niño. Ese es un prudente, seguro y previsible principio que puede aplicar. Ese mismo principio se ajusta a las heridas perpetradas por los hermanos mayores. La persona pequeña y menos fuerte no puede ser culpable del comportamiento de la persona mayor y más fuerte.

El hermano mayor de una joven la abusó sexualmente en repetidas ocasiones cuando ella tenía entre cinco y siete años de edad, hasta que los padres al fin lo atraparon. En su mente, la culpa era de ella. Cuando fue presionada para que explicara cómo algo así podía ser su culpa, dijo: «Bailé de manera provocativa delante de él cuando yo tenía cinco años». Con el paso de los años, ella había desarrollado esta irritante pero fuerte creencia a culparse a ella misma. Cuando con firmeza le recordé que a los cinco años de edad ni siquiera se sabe el significado de la palabra «provocativa», por fin comenzó a comprender de quién era la culpa: de su hermano mayor. El verdadero proceso del perdón siempre incluye el que situemos la culpa en el lugar que le corresponde, así como echárnosla a nosotros mismos cuando sea apropiado.

AFLICCIÓN

Un paso esencial en el proceso del perdón es que nos aflijamos por lo que hemos perdido. Con cada agravio serio que suframos en la vida, algo se pierde. Cuando lidié con los asuntos de mi padre, tuve que afligirme por las cosas en que mi padre nunca debió estar en mi vida y por las cosas que mi padre fue y que nunca debió haber sido en mi vida. Veinte años después de la muerte de mi padre, al fin pude afligirme.

Irene, cuya situación discutimos en el primer capítulo, tuvo que afligirse por dos vidas que nunca se materializaron, y Judy se afligió por un matrimonio que jamás volvería a ser el mismo, incluso después de que ella y su esposo experimentaron juntos la restauración. Nelson Mandela se afligió por la pérdida de veintisiete años de libertad. Corrie ten Boom se afligió por los años que perdió en los campos de concentración. Marcos necesitaba poder afligirse por el tipo de padre que deseaba y necesitaba con tanta desesperación, pero que no pudo tener ni tendría.

Cada afrenta dolorosa encierra una pérdida de algún tipo que solo se puede procesar a través de la aflicción. ¿Qué significa la aflicción? La manera más sencilla de comprender la aflicción en el proceso del perdón es describirla por sus etapas. Comienza con la negación y termina con la aceptación. Estas dos etapas de la aflicción son como sujetalibros que mantienen unido el proceso.

Entre los sujetalibros, el comienzo y el final de la aflicción, (1) estamos enojados y protestamos, y (2) experimentamos tristeza y resignación por la pérdida. Esas dos cosas no la hacemos en ningún orden definitivo ni previsible: primero una y después la otra, y ya está. Es más, por lo general rebotamos de un lado al otro entre el enojo y la tristeza, pero debemos experimentar ambas cosas a fin de afligirnos provechosamente.

Cuando murió mi padre, no me afligí. No sentía enojo, ni podía sentir tristeza. Lo intentaba a veces, pero no podía afligirme. En la funeraria, tuve momentos en los que lloré un poco, pero fue más un intento por cumplir con las expectativas sociales que una auténtica expresión de aflicción. En los veinte años que siguieron, no me afligí por su muerte. Tampoco pude hacerlo por su vida. Había tomado el Camino de la Negación. Cuando al fin pude comenzar a afligirme por la pérdida de mi padre, empecé a ponerme en contacto con mi enojo. No experimenté tristeza por esa pérdida hasta que estuve cerca del final del proceso, pero la tristeza era necesaria también.

Irene solo podía enojarse consigo misma. Pero ese tipo de enojo no era parte del proceso de la aflicción. Era emprender el Camino de la Negación. Cada vez que Irene hablaba sobre sus abortos, experimentaba tristeza por poco tiempo, pero después se culpaba y se aborrecía a fin de encerrarse en sí misma. Puesto que solo podía experimentar con brevedad esa única faceta de la aflicción, no lograba completar el proceso y permanecía estancada en su tristeza.

La experiencia de Judy fue diferente a la de Irene. Al principio, Judy estaba tan abrumada por su enojo hacia su esposo que sus sentimientos de tristeza eran pocos y pasajeros. Pero no podía quedarse en su enojo, y pronto la abrumaba la tristeza. Puesto que había accedido tanto a la ira como a la tristeza, avanzaba en el proceso de perdonar de verdad a su esposo.

TIPOS DE ENOJO

El enojo bien puede ser la emoción que peor se comprende. Debido a todos los problemas que causa el enojo, uno debería esforzarse más para comprenderlo, pero no es así.

Nuestra comprensión del enojo se ve complicada por la manera en que lo definimos. Las experiencias que tuvimos en la niñez con el enojo en nuestra familia influyen en cómo lo comprendemos más tarde en la vida. Los que crecen en una familia con un padre tiránico casi siempre iguala todas las formas de enojo con la furia. A menudo esos individuos siguen los patrones de sus padres, creyendo que la furia es parte normal de la vida. Por otro lado, algunos quizá luchen con sentimientos de enojo o traten de evitarlos en su totalidad, por temor de convertirse en tiranos como su padre, o solo por el temor general a enojarse.

Es posible que otros tuvieran la experiencia opuesta. Sus padres nunca alzaron la voz, así que ahora la impaciencia común se califica como enojo. Estos individuos son sensibles en extremo a cualquier cosa que huela a enojo, tanto consigo mismo como en otros. La más ligera subida de la voz puede prender el temor de estar fuera de control.

El enojo es una emoción básica que puede incluirlo todo, desde un frío silencio o una suave impaciencia hasta una furia descontrolada. Cualquier palabra que use para describir ese rango de emoción es a lo que nos referimos aquí cuando usamos la palabra «enojo».

Un fenómeno interesante acerca del enojo es que, cuando experimentamos esta emoción, ya sea de una manera saludable o dañina, a menudo nos sentimos más fuertes. Uno de los papeles del enojo saludable es el de protegernos de ciertas situaciones. Puede ayudar a detener un proceso en el que alguien nos victimizó con anterioridad. El enojo protesta: «¡No puedes seguir haciéndome esto!». La ausencia de enojo cuando somos víctimas del comportamiento de otra persona nos deja sintiéndonos débiles, al descubierto e indefensos.

Sin embargo, no todo el enojo es productivo. Las expresiones de nuestro enojo pueden ser dañinas para nosotros y para otros. El apóstol Pablo nos advirtió que fuéramos cuidadosos con nuestro enojo. Dijo: «"Si se enojan, no pequen". No dejen que el sol se ponga estando aún enojados» (Efesios 4:26). Es obvio que Pablo creía que existe una manera de estar enojados que conduce al pecado y otra que no conduce al pecado. Existe un enojo que solo está relacionado con asuntos que solo nos interesan y nos incumben a nosotros y no le importan a otras personas. Existe también el enojo por propia iniciativa que se dirige a uno mismo y es una expresión de que no nos amamos. El enojo saludable encierra interés por la justicia, por la protección de los demás y la mía, y es disciplinado en al actuar.

Enojarse con demasiada rapidez puede ser contraproducente en el proceso del perdón. Salomón advirtió: «El que pronto se enoja pronto hace tonterías [...] El sabio domina su enojo; el tonto no controla su violencia» (Proverbios 14:17, 29, TLA). En Proverbios 19:11, añade: «La prudencia consiste en refrenar el enojo, y la honra, en pasar por alto la ofensa». También Santiago dijo: «Recuerden esto, queridos hermanos: todos ustedes deben estar listos para escuchar; en cambio deben ser lentos para hablar y

Un fenómeno interesante
acerca del enojo es que,
cuando experimentamos
esta emoción, ya sea de una
manera saludable o dañina,
a menudo nos sentimos más fuertes.

para enojarse. Porque el hombre enojado no hace lo que es justo ante Dios» (Santiago 1:19-20, DHH).

Sin embargo, ser disciplinados en nuestro enojo y cuidadosos en su expresión no significa que neguemos nuestro enojo. El enojo saludable es esencial para el proceso del perdón. Es más, si tratamos de perdonar sin experimentar el enojo, no perdonamos de verdad; solo tratamos de *excusar* el comportamiento.

Cuando alguien nos hace daño, por lo general no se gana nada mediante el enojo directo con la otra persona, en especial si el agravio ocurrió hace mucho tiempo. En mi situación, el enfrentamiento con mi padre no era una opción, así que podía estar enojado sin tener que pensar en enfrentarme con él. Incluso si hubiera estado vivo, no habría ganado nada al expresarle mi enojo en un encuentro cara a cara, y ni siquiera en forma indirecta con una carta. El propósito de mi enojo era la aflicción, no el enfrentamiento. Es más, el enfrentamiento debe venir solo después que hemos terminado el proceso de perdonar en verdad a la otra persona.

Es importante recordar que el proceso del perdón que estamos describiendo es algo que una persona hace por dentro, sin la participación de la otra persona. Es más, quizá hasta sea favorable limitar cualquier contacto que tengamos con la persona que procuramos perdonar.

Alguien me preguntó una vez: «¿Qué si estoy tratando de perdonar a una persona, pero me sigue haciendo lo mismo? ¿Cómo debo perdonar en tal situación?». En circunstancias como esas debemos hacer primero lo posible por detener el comportamiento dañino, quizá mediante la limitación de cualquier contacto con la otra persona hasta que nos fortalezcamos lo suficiente para protegernos por nuestra cuenta. Entonces podemos ocuparnos del perdón.

TRISTEZA

La otra faceta de la aflicción es la tristeza. Nuestro corazón quizá esté destrozado por nuestra pérdida y las lágrimas se conviertan en nuestra constante compañía. Sin embargo, la tristeza es más que simples lágrimas. Otras cosas continúan en nuestro interior también.

Durante la faceta de enojo de la aflicción, nos enfocamos en la otra persona y cómo nos hirió. En el transcurso de la faceta de tristeza, nos enfocamos más en nosotros mismos. Atravesamos un período de evaluación personal, en el que consideramos lo que hemos perdido. ¿Qué es eso que jamás experimentaremos de nuevo? ¿Qué nos arrebataron que jamás lograremos recuperar? ¿Cuál ha sido nuestra participación en el proceso?

Experimentamos un creciente sentido de resignación mientras recorremos las profundidades de nuestra tristeza. Hay algo sanador en nuestras lágrimas. Algunas veces logramos percibir la experiencia desde la perspectiva de la otra persona. Nos ponemos en su lugar, y al hacer eso, nos damos cuenta que ambos somos pecadores perdonados por la gracia de Dios y que también hemos perdido algo a través de este hecho.

Como declaré antes, los hombres parecen tener gran dificultad con la faceta de tristeza de la aflicción. No solo es difícil para los hombres llorar, sino que también parecemos evitar la evaluación propia que suele acompañar a la experiencia de la tristeza. Este es un tiempo de reflexión, no de acción. Los hombres suelen sentir una urgente necesidad de actuar a fin de resolver el problema, pero necesitamos resistir ese impulso y aprender a vivir nuestra tristeza. El rey Salomón nos recordó que «hay un tiempo para todo [...] un tiempo para llorar, y un tiempo para reír; un tiempo para estar de luto, y un tiempo para saltar de gusto» (Eclesiastés 3:1, 4). Los hombres necesitan dedicar tiempo a llorar y afligirse.

Mientras viajamos por el Camino del Perdón, necesitamos recordar que para llegar al perdón se requiere que experimentemos tanto el enojo como la tristeza. Una vez que pasamos tiempos en ambas cosas, tenemos la libertad de seguir avanzando hasta el siguiente paso del camino, que es donde actuamos y perdonamos de verdad al que nos hirió de manera tan profunda.

PERDÓN

Durante nuestra aflicción es típico que saltemos de una parte a otra entre el enojo y la tristeza, y quizá lo hagamos hasta que estemos casi agotados por el proceso. Es por eso que, por lo general, es importante tener a alguien de confianza que recorra con nosotros el Camino del Perdón. Necesitamos a una persona que nos diga: «Ya es hora. Ya te has afligido lo suficiente. Ya tienes que perdonar». Cuando llegamos a ese punto, pasamos de lo que ha sido un proceso a hacer realidad la decisión de perdonar al fin y por completo.

A veces las personas discuten acerca de si el perdón es un proceso o una decisión. Lidiar con cosas que parecen imperdonables es un proceso que lleva tiempo y una decisión que tomamos en un momento determinado. Es más, se trata de dos decisiones, la primera comienza cuando tomamos el Camino del Perdón.

Hasta el momento de hacer esa segunda decisión, perdonar, hemos estado en un viaje. Por algunas ofensas menores, el proceso quizá solo lleve un momento antes de que decidamos perdonar. Sin embargo, cuando tenemos que lidiar con asuntos que parecen imperdonables, el proceso tal vez demore varios años antes de que seamos capaces de llegar al punto decisivo de perdonar en realidad.

Un amigo mío pertenece al personal de la Misión Rescate de la ciudad de Cleveland. Peter Bliss ha desarrollado un programa que llama «Foro de Cancelación de Deudas». Después de realizar varios de estos, me llamó un día para pedirme permiso para usar el material de mi libro anterior sobre el perdón, titulado *Forgiving our Parents, Forgiving Ourselves*. Me sentí honrado de que hubiera encontrado útil el material y le pedí que me hablara de su trabajo. Conversamos un rato, y luego le pregunté para cuándo estaba programado el próximo foro. Era en un fin de semana que estaría en Cleveland, e hicimos los arreglos para asistir.

En la misión, Peter trabaja con hombres cansados de un estilo de vida de alcoholismo, de vivir en las calles o de reiteradas condenas en la cárcel. Pasan por un programa de un año de duración a fin de avanzar en una base firme y prepararse para ser ciudadanos productivos. El «Foro de Cancelación de Deudas» es opcional, pero la mayoría de los hombres deciden participar cada vez que se realiza. En ese sábado en particular en que yo estaba presente, algunas de las mujeres del programa de mujeres asistieron también.

Peter pasó la primera mañana estableciendo las bases para comprender el perdón. Igualó las deudas en la vida con nuestras necesidades insatisfechas y habló sobre lo que casi siempre hacemos con esas necesidades. Peter les mostró a esas personas cómo sus adicciones, su enojo hacia ellos mismos y sus actitudes de crítica se debieron a la inadecuada atención de sus necesidades insatisfechas. Luego habló sobre cómo abrirse paso a través de su propia negación y el verdadero perdón hacia quienes no suplían sus necesidades, sus padres en particular.

Se discutían los mitos del perdón y se respondían las preguntas. Los hombres que ya habían tomado el foro ayudaron a responder las preguntas de los principiantes. Y sabían las respuestas. Por último, al final de la mañana, Peter exhortó a los presentes a escribir una carta de perdón incondicional hacia uno o ambos padres, y que regresaran el domingo por la mañana preparados para leerle la carta a una silla vacía (o sillas) delante del grupo.

Durante el receso, conversé con una mujer del personal de la misión y le pregunté por qué estaba allí. Me contó sobre un hombre llamado Louis, que antes del último «Foro de Cancelación de Deudas» había sido una causa de preocupación entre el personal. Llevaba en el programa unos seis meses, pero no parecía tener comunicación alguna con ninguna otra persona. Era callado y retraído, incluso con los del personal. Aquella mujer me dijo que era de esa manera cuando salió el viernes, pero cuando regresó el lunes por la mañana, Louis era una persona diferente por completo. Sonreía y hablaba con los demás en el programa. Estaba tan animado que ella se le acercó y le preguntó: «¿Qué te pasó?».

«Ah, fui a "cancelación de deudas" este fin de semana pasado», me respondió.

Sabía que Peter había asistido varias veces a este programa de fin de semana, pero no tenía idea de lo que había tenido lugar. Todo lo que Louis pudo decirle fue: «Perdoné a mis padres… ¡fue increíble!». Así que aquella mujer quiso asistir y ver por sí misma lo que allí se hacía.

Durante la sesión del domingo por la mañana, a la que no pude asistir, cada uno de los hombres y las mujeres se pusieron de pie delante del grupo, leyeron sus cartas de perdón incondicional y luego se dirigieron a una urna de plata y quemaron la carta. Fue un ritual que implantó con firmeza en su experiencia la realidad de su acto de perdonar.

Le pregunté a Peter por qué esos hombres y mujeres no necesitaban tomar el tiempo para afligirse por lo que perdonaban. Su respuesta fue que casi toda la vida la habían pasado manifestando su aflicción. Sin duda, habían expresado su enojo y a muchos de ellos los condujo a la cárcel. Y cuando uno toca fondo, tiene muchísimo tiempo para experimentar la tristeza por su lugar en la vida. «No», me dijo, «ya ellos pasaron por la aflicción. Lo que necesitaban hacer esta vez era el acto de perdonar».

Desde esa conversación con Peter, he tenido el privilegio de enseñar sobre el perdón en varias escuelas de Juventud con una Misión (JuCUM). Durante los primeros cuatro días de la semana analizamos todos los aspectos del perdón, y los jueves, a cada uno de los miembros de la clase se les pide que escriban una carta a la persona que necesitan perdonar. Muchas veces escriben cartas enojadas al principio, y yo les animo a que lo hagan. Luego escriben un resumen en un párrafo del dolor que han experimentado, seguido por esta declaración: «Debido a que por medio de la muerte de Jesús en la cruz he sido perdonado, ahora te perdono de manera incondicional por lo que me hiciste».

Los viernes por la mañana, los estudiantes se reúnen y traen sus cartas. Por lo general, tengo listos una gran olla y una caja de fósforos. Cada estudiante comienza a colocar el número adecuado de sillas. Luego, parado delante del grupo, lee el párrafo y las palabras de perdón a las sillas vacías. A continuación, el estudiante se dirige a la olla y quema la carta, al igual que las iglesias que han quemado los documentos de las hipotecas que han pagado en su totalidad. Una cosa es hablar sobre el proceso del perdón y otra muy diferente es dar el paso y ofrecer en público el perdón incondicional al que nos ha herido. Ese es el aspecto decisivo del perdón.

Recuerdo a un joven de otra cultura que perdonó a su padre. Este lo maltrató de manera física durante todos los años que vivió en su casa. Esa mañana el joven leyó lo que había escrito en su lengua nativa, la cual solo entendían algunos de los estudiantes. Lloraba, algunas veces sin control, cuando comenzó a leer su carta, y luego le ofreció a su padre el perdón incondicional por lo que le había hecho a través de los años. Un año más tarde, vi a este joven en otra escuela. Era una persona diferente. Dios había usado aquel acto de perdonar para liberarlo de la esclavitud de su dañino pasado, lo que lo capacitaba para convertirse en el hombre que Dios se proponía que fuera. Él era otro Louis.

Cuando hacemos un gesto de perdón tan significativo, es provechoso tener un ritual al que podamos volver la vista atrás como señales. Cuando los israelitas entraron a la Tierra Prometida, Dios les dijo que construyeran señales a fin de conmemorar las grandes cosas que Él estaba haciendo en la tierra por medio de ellos. Las cartas quemadas se convierten en señales. Es una piedra en el suelo a la que puede apuntar y decir: «¡He perdonado esa horrible afrenta!».

¿Cuánto tiempo debemos esperar antes de perdonar? Eso es difícil de decir porque depende mucho de la profundidad de nuestra herida. Sin embargo, el acto de perdonar siempre viene antes de que pensemos que estamos preparados por completo. Es por eso que es de ayuda contar con un amigo de confianza que pueda decir con sabiduría: «Llegó el momento de perdonar». Parte de nosotros quizá proteste y diga que necesita más tiempo de aflicción. Es más, el acto de perdonar parece venir poco antes de que nos sintamos preparados, pero cuando miramos hacia atrás, nos damos cuenta de que estábamos listos.

Se debe destacar un punto adicional y muy importante. Una vez que le he perdonado a alguien la ofensa, he rendido incluso el derecho de usar esa ofensa en su contra de alguna manera. No solo he rendido el derecho de vengarme, o exigir el pago, sino también he rendido mi derecho a «tenérselo en cuenta». El perdón quiere decir que la ofensa se terminó. Quizá recuerde la ofensa, ¡pero «ya no la recordaré *en contra de ellos*»! Incluso si algún tiempo más tarde esa persona me vuelve a herir, ¡la primera ofensa es asunto liquidado! He renunciado al derecho de usarla en su contra, ¡*para siempre*!

PIENSE EN LA RECONCILIACIÓN

Como cristianos y miembros de una familia, vivimos en comunidad. No vivimos en aislamiento. Aun cuando el perdón es algo que hacemos por cuenta propia, podemos esperar la reconciliación.

Sin embargo, cuando lidiamos con lo que parecen situaciones imperdonables, debemos ser muy cuidadosos al pensar en la reconciliación.

Cuando perdonamos de verdad, la otra persona ya no nos debe nada; hemos cancelado la deuda. No creo que podamos acercarnos alguna vez a la otra persona sin *ninguna* expectativa, pero después de perdonar, nuestras expectativas son bajas. Como la otra persona no nos debe nada, no podemos esperar... nada. Si ocurre algo bueno, es como un regalo. Si no sucede algo bueno, no nos desilusionamos, pues nuestras expectativas son mínimas.

Como destacamos antes, la genuina reconciliación solo puede llevarse a cabo cuando el ofensor y el ofendido han entrado en el proceso del perdón. Si solo el ofendido, el herido, está en ese proceso, no puede haber reconciliación.

Si deseamos la reconciliación y decidimos que queremos comenzar lo que debe ser un proceso bilateral, debemos examinar la posibilidad. Podemos hacerlo observando con atención a la otra persona, al igual que hizo José cuando sus hermanos fueron a él en busca de alimentos. Tal vez podamos comunicarnos con cautela al comenzar un diálogo sin excesivas tensiones relacionado con el asunto, pero sin estar conectado de forma directa. Si descubrimos que la otra persona ha estado luchando con lo que hizo, y está experimentando un quebranto piadoso por la herida que causó, podemos avanzar y completar la restauración y la reconciliación.

Pero la reconciliación es siempre una *opción*, no un requisito. La reconciliación no se nos exige como un acto de obediencia. El perdón sí se nos exige como un acto de obediencia.

APRENDA A CONFIAR DE NUEVO

La mayoría de los hechos que al parecer son imperdonables tienen lugar en una relación con una persona cercana a nosotros y que nos importa. Antes del mal que nos hizo, confiábamos en esa persona. Pero la confianza es algo que se puede destruir en un momento, en un solo acto, y una de las pérdidas que experimentamos es nuestra confianza en esa persona.

Judy había confiado por años en su esposo, pero la revelación de su infidelidad destruyó al instante su confianza en él. ¿Puede ella volver a confiar en él? Sí, pero será un proceso largo y lento que requerirá una muy sincera actitud de arrepentimiento por parte de su esposo.

Hace falta la buena disposición de la parte ofendida para restaurar la confianza. La autenticidad del quebranto piadoso por parte del ofensor creará una franqueza que dice: «Sé que ya no confías en mí. Quiero que aprendas a confiar en mí de nuevo, y haré *cualquier* cosa por ayudarte a aprender a confiar en mí. Y estoy dispuesto a hacer esto por todo el tiempo que necesites que lo haga». Sin ese tipo de actitud sincera, la confianza llegará a ser imposible de restaurar. Una persona sola (y menos la que se ofendió) no puede restablecer la confianza en una relación quebrantada. Hace falta la disposición de ambas partes, especialmente la de la ofendida, para restaurar la confianza.

El viaje a lo largo del Camino del Perdón no es fácil. En muchos sentido parecerá cuesta arriba. Se va a contracorriente en muchos sentidos. Lo que es más fácil es decir: «Que paguen. ¡Ellos tienen la culpa!». Cuando tomamos el Camino del Perdón, sin embargo, repudiamos la venganza y abandonamos el deseo de revancha. El perdón exige que aceptemos lo inmerecido. Aun cuando no es justo, eso es lo que Jesús espera que hagamos.

Cerca del final de la película *El príncipe de las mareas*, el personaje principal, Tom Wingo, está sentado en las graderías del estadio del instituto y reflexiona sobre todo el pandemónium que acababa de presenciar: la caótica disfunción de la familia en que creció y el caos en su propia familia. Encuentro emocionantes sus palabras porque son profundamente bíblicas: «He aprendido que nada que pase en la familia está más allá del perdón». Estaba en gran contraste con lo que acababa de observar debido a que había sido muy «pecaminoso».

Algo parecido se dice en el libro de Pat Conroy, al cual fue fiel la película. Sin embargo, Conroy podía haber llevado a Tom Wingo a dar más de sí diciendo: «No existe nada en la vida que esté más allá del perdón». Entonces habría captado aun mejor lo que Jesús espera de cada uno de nosotros.

El perdón es una forma de vida que Jesús nos llama a vivir. Pablo resumió lo que Jesús quería de nosotros cuando escribió: «Abandonen toda amargura, ira y enojo, gritos y calumnias, y toda forma de malicia. Más bien, sean bondadosos y compasivos unos con otros, y perdónense mutuamente, así como Dios los perdonó a ustedes en Cristo» (Efesios 4:31-32).

PREGUNTAS A CONSIDERAR

1. ¿Cuáles son algunas de las razones por las que usted en el pasado se ha resistido a tomar el Camino del Perdón?

2. En su experiencia, ¿cuál ha sido la parte más difícil de la aflicción?

3. Haga una lista de algunas de las personas a las que ha perdonado a través de los años. ¿Quién fue el más difícil de perdonar? ¿Por qué?

CAPÍTULO SIETE

PERDONÉMONOS

El perdón nunca es completo hasta que,
primero, experimentamos el perdón de Dios,
segundo, podemos perdonar a otros que nos han hecho mal,
y tercero, podemos perdonarnos a nosotros mismos.

CHARLES STANLEY

Recuerdo cuando mi libro *Forgiving Our Parents, Forgiving Ourselves* salió a la luz. Varios de mis colegas querían enfrascarse en una discusión teológica conmigo por lo que creían que era un disparate: perdonarse uno mismo. Tuvimos varias animadas discusiones, en las que ningún partido le cedía terreno al otro. Por dentro, yo entendía lo que decían. Solo Dios puede perdonarnos de verdad por las cosas malas que hemos hecho. Sin embargo, no me preocupaba el asunto teológico de perdonarnos a nosotros mismos; estaba pensando en un hombre que llamaré Reinaldo.

Reinaldo había sido un miserable y malhumorado esposo por años. Su esposa cada vez más cansada de su comportamiento, al final lo dejó. Durante los primeros años después de eso desarrollaron una amistad y Reinaldo se suavizó. Aun así, no había manera en que su esposa confiara en que había cambiado de verdad y volviera con él.

Escuché cómo él describía su comportamiento. Sabía que había sido malo y que había sido demasiado difícil vivir con él. Entonces habló del perdón.

—Le he pedido a mi esposa al menos cien veces que me perdone —me dijo.

—¿Te ha perdonado?

—Dice que sí, pero todavía no cree que he cambiado.

—¿Qué otra cosa has hecho? —le pregunté.

—Le he suplicado a Dios que me perdone y que me cambie de verdad.

—¿Lo ha hecho? —le respondí.

—Bueno —dijo con vacilación—. Creo en mi cabeza que lo ha hecho, pero en lo profundo de mí no lo creo.

Luego añadió enseguida:

—Sé que Dios promete perdonar todo lo que hemos hecho, y por eso, sí, debe haberme perdonado. Supongo que el verdadero problema es que *yo* no puedo perdonarme.

No sé cuántas personas me han dicho eso a lo largo de mis años como consejero. Intelectualmente tienen claro el concepto. Pueden citar 1 Juan 1:9 con tanta rapidez como yo: «Si confesamos nuestros pecados, Dios, que es fiel y justo, nos los perdonará y nos limpiará de toda maldad». Pero de todos modos, tropiezan con el asunto de perdonarse.

Con el tiempo he elaborado una respuesta uniforme, solo con el propósito de hacerlos pensar. Por lo general, da resultados. Les digo algo a tal efecto: «Encuentro interesante que tengas normas más altas para el perdón que las de Dios. Él puede perdonarte, pero tú no puedes perdonarte. ¿Cómo eso es posible?».

A cualquiera que ha pecado mucho, o que es sensible en gran medida al pecado en su vida, le costará perdonarse a sí mismo. No es orgullo, ni es debilidad, que aceptemos el perdón de Dios *y* nos aferremos a una actitud de falta de perdón hacia nosotros mismos. Es tener un espíritu sensible lo que nos refrena.

JUDAS Y PEDRO

A fin de comprender el proceso del perdón propio, echemos un vistazo al ejemplo de dos discípulos de Jesús: ambos traicionaron al Señor. A Judas, lo conocemos como el colmo del traidor. Por treinta monedas de plata, entregó a Jesús a quienes querían matarlo. Hay quienes piensan que Judas hizo esto con la intención de «ayudar» a Jesús a establecer un reino terrenal. Cuando falló el plan, Judas cedió a su vergüenza y sentimientos de culpa. Ya sea esto cierto o no, Judas devolvió con amargura el dinero y luego fue y se ahorcó. No creía que el perdón estuviera a su alcance.

En contraste, fíjese en el discípulo Pedro. Le dijo a Jesús que estaba listo a ir a la cárcel con Él, incluso a morir por Él. Jesús predijo, sin embargo, que Pedro lo traicionaría tres veces antes de la mañana siguiente. Y poco antes de que Pedro por tercera vez negara conocer siquiera a Jesús, «cantó el gallo. El Señor se volvió y miró directamente a Pedro. Entonces Pedro se acordó de lo que el Señor le había dicho: "Hoy mismo, antes de que el gallo cante, me negarás tres veces". Y saliendo de allí, lloró amargamente» (Lucas 22:60-62).

Durante varios días Pedro se quedó con el dolor de su error y pecado. Para que se convirtiera en el gran apóstol, tuvo que aprender a perdonarse, y Jesús lo ayudó en ese proceso. En lugar de aislarse, como hizo Judas, Pedro procuró estar con los otros discípulos. Regresó a pescar con seis de los discípulos (véase Juan 21:1-17). Por lo tanto, el primer principio que vemos en la vida de Pedro sobre perdonarnos es este: *No se aísle, póngase en presencia de quienes le aman*. Esto fue lo que hizo Pedro y lo que Judas no hizo.

Es fácil imaginar lo incomodo que se sintió Pedro cuando vio a Jesús. No esperaba encontrarse con el Salvador, pero Jesús los buscó. Es probable que Pedro desayunara en silencio, al otro extremo del grupo. Quería estar allí, pero por otro lado deseaba ocultarse, aislarse, al igual que hizo Judas. Sin embargo, al estar allí con los otros discípulos Pedro le dio la oportunidad a Jesús de ayudarlo a perdonarse.

Note lo que Jesús hace con Pedro después que terminaron de desayunar. Se acercó a Pedro y le hizo la misma pregunta tres veces: «Simón, hijo de Juan, ¿me amas?». Mucho se ha dicho acerca de cómo Jesús le preguntó tres veces a fin de contrarrestar las tres veces que Pedro negó a Jesús. Y mucho se ha dicho acerca de las palabras griegas que usaron Jesús y Pedro para «amor». Sin embargo, creo que el principio que queremos considerar aquí es que las preguntas de Jesús a Pedro lo obligaron a mirar, no a su culpa y vergüenza por haber negado a Jesús, sino a mirar dentro de sí mismo al gran amor que sentía por Jesús, y al gran amor que sentía de Jesús, a pesar de su pecado. El segundo principio en perdonarnos que encontramos en este pasaje es este: *Tenemos que situarnos en un lugar donde nos aman y donde podemos sentir que nos aman.*

No obstante, hay más. Cada vez que Pedro respondía la pregunta del Señor, Jesús le daba una visión de su futuro. La vergüenza y la culpa de Pedro se superarían, iba a experimentar el perdón de sí mismo, al regresar a un lugar donde pudiera sentir amor y mirar el futuro con la seguridad que viene de la comisión que le hace Jesús para un gran futuro. «Apacienta mis ovejas», se le dice a Pedro. «No te sientes allí en tu culpa y en tu vergüenza, pues tengo algo importante que debes hacer», es lo que Jesús puede haberle estado diciendo. Así que el tercer principio que podemos captar de este pasaje es: *¡Haga algo! Ocúpese de hacer algo significativo, algo que Dios quiere que haga.* Pedro hizo eso: se convirtió en el predicador de Hechos 2, el Día de Pentecostés. Es el que abre el evangelio a los gentiles a través de su interacción con Cornelio en Hechos 10. Contribuye con dos libros para el canon del Nuevo Testamento. Resume lo que aprendió cuando escribe: «Ahora ustedes, al obedecer al mensaje de la verdad, se han purificado para amar sinceramente a los hermanos. Así que deben amarse unos a otros con corazón puro y con todas sus fuerzas» (1 Pedro 1:22, DHH). Pedro llegó a ser el hombre que Jesús sabía que podía ser, y el reconocer su falta y perdonarse a sí mismo fueron una parte esencial de ese proceso.

PABLO Y ESTEBAN

Observen también la experiencia del apóstol Pablo. Antes de su conversión a la fe cristiana, Pablo era el gran enemigo de la iglesia primitiva y de Jesús. Los primeros cristianos le temían, y con razón, pues tenía poder de vida y muerte sobre ellos. A muchos los llevaron a la muerte debido a las instrucciones de Pablo. Y tenemos la vívida descripción de que apedreaban a Esteban mientras el antiguo Pablo, entonces conocido como Saulo, lo apoyaba y observaba. Él «estaba allí, aprobando la muerte de

Esteban» (Hechos 8:1). ¡Pablo tuvo mucho que perdonarse por su comportamiento antes de su conversión!

En verdad, Pablo habría sido menos que humano si, durante esos años de silencio después de su conversión, no hubiera luchado con el asunto de cómo perdonarse por las horribles cosas que había hecho contra Cristo y la iglesia. Quizá sus increíbles escritos sobre el perdón de Dios surgieron de esa lucha. Tomó lo que enseñó Jesús y lo puso en el contexto de nuestra vida diaria. Por ejemplo, nos insta a abandonar «toda amargura, ira y enojo, gritos y calumnias, y toda forma de malicia. Más bien, sean bondadosos y compasivos unos con otros, y perdónense mutuamente, así como Dios los perdonó a ustedes en Cristo» (Efesios 4:31-32). No se refiere de forma directa al asunto de perdonarnos, ¡pero entendía el poder del perdón! Solo pudo hacer eso si se había perdonado por su pasado.

LA VIDA BASADA EN EL DESEMPEÑO

La razón principal de que a muchos nos cuesta perdonarnos quizá sea que creamos que tenemos que *ganarnos* el perdón. Dios puede perdonarnos sin restricciones, pero nosotros no somos tan generosos. Pensamos que tenemos que ganarnos nuestro perdón de algún modo: necesitamos ser superbuenos a fin de compensar por lo horrible que hicimos. Pedro hubiera tenido que ganarse el perdón por su traición a Jesús, y si se desempeñaba bien por un período lo suficiente largo, hubiera podido entonces perdonarse a sí mismo.

Cuando uno lee el párrafo anterior, nota enseguida lo tonta que puede ser tal idea. Es decir, podemos ver su desatino cuando se aplica a otra persona. Sin embargo, aún parece tener sentido cuando pensamos en nosotros. Es demasiado fácil desilusionarnos de nosotros mismos y caer en la lista de recriminaciones personales de nuestra mente. En tales momentos, tendemos a pasar por alto el hecho que Dios no nos hace eso cuando lo desilusionamos.

FIJEMOS LA ATENCIÓN
EN QUE ESTAMOS PERDONADOS

Una cosa con la que luchamos cuando necesitamos perdonarnos es al hacer la distinción entre *ser* perdonados y *sentir* el perdón. Podemos saber *intelectualmente* que nos han perdonado, pero lo que hicimos es tan malo que, en la mente, necesitamos ganar el derecho a sentir el perdón. Qué diferente es eso de las buenas nuevas de Jesucristo. No podemos ganar el perdón. Es un acto de gracia, un regalo de Dios. Lo que tenemos que hacer en ese momento es fijar nuestra atención en la realidad del perdón que hemos recibido de Dios. Tenemos que enfocar nuestros pensamientos absolutamente en todo lo que reafirme la realidad de la gracia de Dios y el perdón en nuestras vidas.

¿Cómo podemos llegar a *sentirnos* perdonados cuando hemos hecho algo terrible en la vida? Enfocándonos en la realidad del perdón de Dios a nosotros. Meditando en pasajes de la Escritura como el siguiente salmo:

> Alaba, alma mía, al SEÑOR; alabe todo mi ser su santo nombre. Alaba, alma mía, al SEÑOR, y no olvides ninguno de sus beneficios. Él perdona todos tus pecados y sana todas tus dolencias; él rescata tu vida del sepulcro y te cubre de amor y compasión (Salmo 103:1-4).

O enfocándonos en un pasaje como el de Romanos 8, donde comenzamos con la realidad que no existe nada en toda la vida que pueda condenarnos cuando estamos en Cristo. Y luego ese gran capítulo termina con la increíble verdad de Pablo:

> Pues estoy convencido de que ni la muerte ni la vida, ni los ángeles ni los demonios, ni lo presente ni lo por venir, ni los poderes, ni lo alto ni lo profundo, ni cosa alguna en toda la creación, podrá apartarnos del amor que Dios nos ha manifestado en Cristo Jesús nuestro Señor (Romanos 8:38-39).

*¿Cómo podemos llegar a sentirnos
perdonados cuando hemos hecho
algo terrible en la vida?*

Al mismo tiempo, enfocamos la mente en la adoración y en cánticos sobre el infalible amor de Dios por nosotros. Recuerdo una vez en que había actuado de manera muy tonta, y le había hecho daño a mi familia y a mí mismo. En mi dolor y desilusión de mí mismo, estaba literalmente envuelto en escuchar la canción de alabanza «Oh, cuánto Él te ama a ti y a mí». Durante días seguí cantando en mi mente la letra hasta que la realidad de su verdad penetró en mi quebrantamiento. Al aplicar el principio de enfocarme en cuánto Dios me ama y perdona a la postre me condujo a poder perdonarme. Me perdoné de la realidad práctica de mi perdón que había comprendido a través de las promesas de la Escritura y las palabras de la música de alabanza.

ENCERRADOS POR LA CULPABILIDAD

Cuando no podemos perdonarnos, con lo que luchamos en realidad es con un abrumador sentido de culpabilidad por lo que hemos hecho. La culpabilidad es una experiencia demasiado conocida de todos nosotros, pero va en contra del concepto entero del perdón. Es demasiado fácil «sentir culpabilidad». Es un sentimiento con el que quizá crecimos, de modo que cuando la sentimos, es como un viejo amigo que viene a visitarnos. A decir verdad, no queremos despedirlo porque lo consideramos normal.

Sin embargo, la culpabilidad no es en realidad un sentimiento natural. Hay que aprenderlo. Técnicamente hablando, la culpabilidad es una posición en referencia a la ley. O bien se es culpable del delito o no se es culpable. No tiene nada que ver con si nos *sentimos* o no culpables. Los sentimientos de culpabilidad son algo que hemos aprendido a experimentar con el paso de los años, y esos sentimientos casi siempre nos dejan en un estado de inmovilidad.

Si de verdad somos culpables, tenemos que arrepentirnos y reparar la falta. Si no somos culpables, tenemos que rechazar los sentimientos de culpa y seguir adelante. Nada ganamos con quedarnos en la posición de «sentimiento de culpabilidad». Esta es una de las grandes cosas que el perdón de Dios ha hecho posible: ¡nuestra libertad de la culpa!

EL PERDÓN A OTROS / EL PERDÓN A NOSOTROS MISMOS

El perdonarnos a nosotros mismos está íntimamente relacionado con nuestro perdón a otros. Si soy el ofensor, por ejemplo, necesito que la parte ofendida sea parte de mi proceso de perdón, de ser posible. Quizá atravesemos el proceso de perdonarnos por recuperar algún sentido de unidad interna, pero si no vamos a la persona, o personas, que hemos ofendido y buscamos la reconciliación, dejamos el proceso inconcluso.

Aquí, el arrepentimiento y la reconciliación son fundamentales, hasta cierto grado debido a que estamos en control de esa parte del proceso. El ofensor puede y debe arrepentirse y reparar la falta. Nuestra cura viene dentro del contexto del ofendido. Si el ofendido no quiere participar en el proceso, necesitamos otra persona dispuesta a ocupar el lugar del ofendido y escuchar nuestras confesiones.

El perdón a nosotros mismos también está íntimamente relacionado con nuestra capacidad de perdonar a otros. P. A. Mauger y un grupo de colegas hicieron un interesante estudio sobre la relación entre el perdón a uno mismo y el perdón a otros[1]. En su exploración de la capacidad común para perdonar, fueron en busca de examinar y validar dos medios de evaluación: uno que medía la capacidad de perdonar a otros y otro que medía la capacidad de perdonarse uno mismo.

Descubrieron una correlación directa entre la capacidad de perdonar a otros y la de perdonarse uno mismo, aun cuando era evidente que esos eran conceptos separados. También descubrieron que esas dos capacidades, en especial la de perdonarse uno mismo, están relacionadas con algunos asuntos muy importantes de salud mental. Los que están deprimidos o ansiosos son menos propensos a ser capaces de perdonarse, aun cuando quizá logren perdonar a otros. No es de sorprenderse que encontraran que mientras peores son nuestros sentimientos sobre nosotros mismos, menos propensos somos a perdonarnos. Cuando de veras necesitamos perdonarnos, no podemos hacerlo. Sin embargo, debemos buscar una manera de hacerlo porque eso es lo que Dios quiere que experimentemos.

EL PROCESO DE PERDONARNOS

La manera de perdonarnos es transitar el mismo Camino del Perdón que tomamos cuando perdonamos a otra persona. Necesitamos adjudicar bien la culpa, y en este caso lo más probable es que sea en nosotros mismos. Pero necesitamos confesarla y decirlo en voz alta. ¡El perdón es demasiado grande para que no nos ocupemos de ese asunto!

Luego debemos afligirnos. Podemos estar enojados con nosotros por nuestro comportamiento tonto y necesitamos sentir tristeza por la herida que nos hayamos causado y, como es lo más probable, a otros.

Como cuando necesitamos perdonar a otros, es bueno compartir el proceso de perdonarnos con un amigo de confianza, alguien que sea capaz de mantenernos enfocados y desplazándonos por el camino del perdón.

Después de un tiempo apropiado de aflicción, necesitamos dar el paso mismo de perdonar. ¿Por qué no nos escribimos una carta de perdón incondicional? Luego, en presencia del amigo de confianza, la podemos quemar. Establezca señales que conmemoren el perdón, de manera que nunca pueda recriminarse de nuevo por su fracaso.

Hace falta considerar otro punto. Cuando estamos decepcionados con nosotros mismos y necesitamos perdonarnos, es probable que hayamos herido a otros también. Es importante que podamos aceptar con sinceridad la culpa de lo que hemos hecho y tratar de reparar la falta a través del arrepentimiento ante las personas que hemos herido. Podemos dar el paso hacia la reconciliación. Si la otra persona está demasiado herida para escuchar, debemos retirarnos con amabilidad, después de asegurarles nuestra sinceridad. Y luego esperamos hasta que esa persona esté dispuesta a comprender nuestra necesidad de recibir perdón. No podemos obligar a nadie a que nos perdone, debe fluir con libertad del corazón del otro. Pero podemos darle la *oportunidad* para que la persona nos perdone de acuerdo a su propio itinerario.

PREGUNTAS A CONSIDERAR

1. ¿De qué maneras ha luchado con perdonarse?

2. ¿Qué le ha hecho difícil perdonarse?

3. Cuando pudo perdonarse, ¿qué lo hizo posible?

CAPÍTULO OCHO

UN PASO MÁS
ALLÁ DEL PERDÓN

*Usted no puede alterar el ayer, pero sí su reacción
al ayer. Usted no puede cambiar el pasado,
pero sí puede cambiar su respuesta al pasado.*

MAX LUCADO

Hemos visto que existen tres caminos que podemos escoger cuando estamos dolidos. Dos de ellos nos conducen a la destrucción, y el tercero al perdón. El fruto del Camino de la Negación y el Camino de la Amargura conducirán a la destrucción; el fruto del Camino del Perdón es libertad y nuevos comienzos. Entonces, ¿hay algo más que tenemos que hacer más allá del perdón? ¿Hay momentos en que necesitamos dar un paso extra más allá del perdón?

David Augsburger nos narra una historia acerca de una escena de la que fue testigo. Estaba en una cena donde un senador de Estados Unidos daba un discurso a más de quinientos invitados. Cuando la cena estaba a punto de terminar, una camarera manejó con torpeza los platos del postre y dejó caer uno en el hombro del senador. Una amplia mancha de tarta y salsa de limón se esparció por su saco, corbata y camisa, y fue a dar a su regazo.

El senador se raspó lo que pudo con un cuchillo de mesa mientras la humillada camarera se iba a buscar algunas toallas húmedas. Es probable que hubiera preferido morir, pero sabía que tenía que ayudar a limpiar el embarro. Mientras lo ayudaba a limpiar con un paño los restos del postre, el senador le decía una y otra vez que no había problema. Sin embargo, ella era la imagen misma de la vergüenza total.

Cuando la joven camarera estaba lista para marcharse, el senador le extendió «ambas manos para tocar su cara todavía roja, la acercó y le besó la mejilla con amabilidad. El rubor desapareció. Una sonrisa ocupó su lugar. Ella se fue de la habitación, radiante, con la cabeza erguida, animada»[1].

Augsburger luego señaló el significado de la acción del senador. Dijo que el senador había tomado la dolorosa experiencia de la joven, una que siempre recordaría con dolor y humillación, y la transformó en una historia que le encantaría contarles a otros. Hizo lo que «mil palabras de "Te perdono" no pueden hacer». Dio un paso más allá del perdón.

CUANDO UN BESO NO PUEDE TENER LUGAR

Muchos de nosotros no tenemos suficiente agilidad mental para pensar qué hacer como lo hizo el senador. Qué fantástico si lo hiciéramos. Sin embargo, qué me dice del caso donde el que nos ofendió no está interesado en hacer ningún tipo de reparación, y la idea de dar un paso más allá del perdón es simplemente imposible. O qué si el agravio está tan distante en el pasado que no se nos ocurre qué hacer para dar por terminada la tarea. ¿Y qué hacemos cuando la persona que ofende ya no está en nuestra vida? ¿Queda algo por hacer después que hemos pasado por el proceso del perdón? Algunas veces.

Habrá ocasiones cuando nos hemos esforzado mucho en el proceso de nuestro perdón, y seguimos sintiendo que queda algo sin finalizar dentro de nosotros. Randy, un pastor amigo mío, me contó de un domingo por la mañana en particular cuando llegó al culto en su iglesia. Tres personas diferentes se le opusieron en la congregación esa mañana. Esas tres personas eran siempre una constante irritación para él como su pastor. No eran un verdadero problema grande, sino una constante molestia. No se le había ocurrido que eran personas que tenía que perdonar, pero trataba de evitarlos cada vez que los veía.

Durante las primeras partes del culto, sintió como que Dios le hacía una intensa advertencia en cuanto a aquellas tres personas y su frustración con ellas. Relató que hubo una conversación con Dios que fue algo como esto:

Dios: ¿Ves esas tres personas?

Randy: Sí, Dios.

Dios: ¿Estás seguro de que ves esas tres personas?

Randy: Sí, ¿pero por qué me las estás mostrando?

Dios: Creo que es tiempo de que lidies con lo que sientes hacia ellos.

Randy: No me siento demasiado molesto con ellos. Los perdono cada vez que me irritan.

Dios: Te sientes bastante irritado y por eso estoy hablándote de ellos ahora mismo.

Randy: ¿Qué quieres que haga? Tengo que predicar muy pronto un sermón.

Dios: Olvida el sermón hasta que captes lo que te estoy diciendo.

Randy: ¿Pero qué me estás diciendo?

Dios: Recuerda lo que hizo mi Hijo.

Randy: Claro. Él perdonó mis pecados mediante su muerte en la cruz. Tú sabes que estoy agradecido por eso, Dios.

Dios: Eso no es lo que quiero que entiendas.

Randy: ¿Qué no estoy entendiendo?

Dios: ¿Qué dijo mi Hijo mientras moría?

Randy pasó a explicar que mientras transcurría el culto, él y Dios tenían esta ininterrumpida conversación y al final Randy captó la idea que Dios quería que captara. Cuando comenzó a pensar en la oración de Jesús en la cruz, «Padre, perdónalos, porque no saben lo que hacen», Dios parecía meterle en la cabeza que quería que Randy hiciera la misma oración por aquellas tres personas.

«Mientras lo hacía, una gran paz vino sobre mí», me dijo Randy. «Fue un momento trascendental en mi andar con el Señor». Fue para Randy como un paso más allá del perdón, porque para él estaba al día en su perdón de cada una de aquellas tres personas. Ahora no había nada que perdonar, pues sintió con sinceridad que el trabajo del perdón por cada una de aquellas personas estaba al corriente. Sin embargo, Dios quería que diera un paso adicional y orara que Él, Dios, los perdonara también.

Pero ese no fue el final de su historia. Pasó a contarme lo que le sucedió a Linda no mucho después de su conversación con

Dios. Linda era una joven de su congregación que tenía una terrible relación con su padre. Este fue muy cruel con ella mientras crecía y todavía cada vez que le permitía que la viera. Abusó verbalmente de ella durante toda su niñez, y sin razón la llamaba por todo tipo de nombres imposibles de repetir aquí. Ya de joven, no dejaba de hacerlo. Cada vez que estaba con ella, la maltrataba de palabras. Su nivel de confianza propia como mujer estaba en cero, su padre la había destruido en su interior. Aunque vivían en la misma ciudad, ella había podido limitar los contactos con él.

Incomodada por todo esto, en consejería, comenzó a procesar sus asuntos relacionados con su padre y el consejero le señaló con sabiduría en la dirección de perdonar a su padre. Con la certeza de que perdonarlo no significaba que tendría relaciones con él, al final logró perdonarlo. Sin embargo, sentía que había algo inconcluso.

Esto no significaba que quería ver a su padre, ni que tratara de cambiarlo. Sabía que él era peligroso y por eso no deseaba pasar tiempo a su lado. Solo le parecía que había algo inconcluso. Esto la condujo a ir y hablar con Randy, su pastor.

Randy le contó la historia de su conversación con Dios ese domingo por la mañana, acerca de que necesitaba orar que el Señor perdonara a las personas que lo agraviaban, y luego que quizá debía orar que Dios perdonara a su padre, «pues no sabe lo que hace».

La joven desechó su sugerencia con palabras de enojo: «¡Él sabía muy bien lo que hacía!», y se fue de su oficina. Para ella, parecía injusto, un tanto ilógico y estaba decidida a olvidarlo. Aun así, Dios continuó obrando en su corazón. Más tarde le contó a Randy lo que sucedió. Durante tres días estuvo luchando con lo que le había sugerido que hiciera. Al final, a las cinco de la tarde del tercer día, dejó de luchar y oró por su padre: «Padre, perdónalo, porque no sabe lo que hace». De inmediato, sintió liberación por dentro, como si el proceso del perdón hubiera quedado completo. Había sido una lucha, pero después de elevar la oración, no estaba segura por qué, pero de algún modo lo sentía liquidado. Luego se fue a la cama sintiendo paz en cuanto a los problemas con su padre.

A la mañana siguiente, mientras se preparaba para irse al trabajo, sonó el timbre de la puerta. Preguntándose quién podría estar en su casa tan temprano en la mañana, fue a mirar y vio a su padre afuera. Mientras de mala gana abría la puerta, su padre enseguida entró a la sala. Parecía muy agitado. Dijo: «No sé lo que me pasó, pero anoche a la hora de la cena, de repente me sobrecogió la realidad de que no te había tratado a ti ni a tus hermanas como debía y necesito enderezar mi vida». Eso fue todo lo que dijo, luego se volvió, salió por la puerta y se marchó. Y Linda permaneció allí por largo rato, asombrada de lo que había escuchado.

ATADO Y DESATADO

Su oración puso en marcha algo que fue sobrenatural. Era casi como si Dios se hubiera sentido en libertad de alguna manera de comenzar a obrar en la vida de su padre. Puede que esto sea parte del significado de las palabras de Jesús a sus discípulos: «Les aseguro que todo lo que ustedes aten en la tierra quedará atado en el cielo, y todo lo que desaten en la tierra quedará desatado en el cielo» (Mateo 18:18). Al orar que Dios lo perdonara, desató algo en la tierra, ¡y luego se desató en el cielo! Parecía como si el Espíritu Santo tuviera ahora libertad de actuar en la vida de su padre.

Esta declaración de Jesús, que también Mateo 16:19 registra después de la gran declaración de Pedro de quién era Jesús, siempre ha sido difícil de comprender. Barclay sugiere que cuando Jesús le hizo esta declaración a Pedro, quiso decir que «Pedro colocaría los pecados de los hombres, atados, en la conciencia de

*En esta vida nunca
entenderemos a plenitud
la interconexión entre lo que
hacemos en la vida y la obra
del Espíritu Santo
en la otra persona.*

los hombres, y luego los libraría de sus pecados al hablarles del amor divino y el perdón divino de Dios»[2].

Existen otras interpretaciones, pero esta parece explicar lo que quizá pasara cuando Randy y Linda elevaron esta oración. Podemos decir que cuando tenemos un espíritu que no es perdonador, atamos el pecado en el que nos ofendió así como también en nosotros. Tiene ciertamente el sentido de que cuando nos aferramos a un resentimiento, nos atamos mucho a la vida, y atamos a la otra persona, al menos en relación con nosotros.

Y cuando desatamos el pecado, mediante nuestro perdón, nos liberamos. Quizá el paso más allá del perdón es desatar o liberar al Espíritu Santo a fin de que obre en la vida del que nos hirió. En esta vida nunca entenderemos a plenitud la interconexión entre lo que hacemos en la vida y la obra del Espíritu Santo en la otra persona. Pero esta parece ser una de las maneras de comprender la declaración de Jesús sobre atar y desatar.

Vemos este principio de atar y desatar en otros dos ejemplos bíblicos. Estas personas oraron para que Dios perdonara a alguien. En Hechos 7:60, vemos esta oración en acción en Esteban mientras lo apedreaban hasta la muerte, lo cual mencionamos antes. Oró: «¡Señor, no les tomes en cuenta este pecado!». En esencia, elevó la misma oración que Jesús elevó en la cruz: ¡perdónalos! Desató algo en la tierra que Dios desataría en el cielo.

También vemos este principio en acción en la vida de Job. Después que Dios pasó casi cuatro capítulos haciéndole preguntas a Job que este no podía contestar, Dios se volvió a Elifaz de Temán y dijo: «Estoy muy irritado contigo y con tus dos amigos porque, a diferencia de mi siervo Job, lo que ustedes han dicho de mí no es verdad. Tomen ahora siete toros y siete carneros, y vayan con mi siervo Job y ofrezcan un holocausto por ustedes mismos. Mi siervo Job orará por ustedes, y yo atenderé a su oración y no los haré quedar en vergüenza. Y conste que, a diferencia de mi siervo Job, lo que ustedes han dicho de mí no es verdad» (Job 42:7-8).

Dios estaba enojado con los tres consoladores de Job. No solo habían ofendido a Dios hablando equivocadamente de Él, sino que también habían tratado de confundir a Job con sus falsas ideas. Dios no decidió lidiar con ellos por las normas con las que ellos acababan de sermonear a Job. Lo interesante es que Dios no perdonó simplemente a estos tres «consoladores» al ofrecer ellos sus sacrificios. Más bien les dijo que le pidieran a Job que orara por ellos. Repito, parece que fue importante que Job llegara a «desatar su pecado en la tierra», con el fin de que los pudieran «desatar en el cielo».

Quizá Job oró: «Padre, perdónalos, porque no saben lo que dicen». No sabemos lo que oró, pero sabemos que Elifaz y sus dos amigos no fueron libres hasta que Job oró por ellos. Es evidente que existe un increíble poder que se libera mientras perdonamos y luego damos ese paso más allá del perdón, cuando oramos que Dios perdone al que ha pecado contra nosotros.

Claro, no en todas las circunstancias en que nos toca perdonar nos tocará dar ese «paso extra» después del perdón. Pero una vez que perdonamos, podemos encontrar importante orar por los que «pecan contra nosotros», y pedir que Dios los «perdone, porque no saben lo que hacen».

Preguntas a considerar

1. ¿Por qué cree que Dios quiere que «desatemos» a otros orando que Él los perdone?

2. ¿Cuáles son algunas de las circunstancias en su experiencia en que se podría aplicar este «paso más allá»?

3. Si cree que Dios le está dirigiendo a orar para que perdone a alguien que le ha herido, ¿cuáles son algunas de las emociones que usted siente?

CAPÍTULO NUEVE

LOS BENEFICIOS
DEL PERDÓN

En el día que perdoné a mi padre, comenzó mi vida.

PAT CONROY

Hemos analizado los tres caminos que se abren ante nosotros cuando nos enfrentamos con alguien que peca en contra nuestra. Lo que necesitamos comprender también es que nuestra elección del camino del perdón no solo es importante para nuestro crecimiento espiritual, sino también para nosotros en función de nuestra salud física y emocional.

BENEFICIOS FÍSICOS

Hace varios años estaba hablando sobre el perdón en el programa radial de la clínica Minirth-Meier cuando una ayudante entró en silencio en la habitación y nos alcanzó un pedazo de papel. Había buscado «perdón» en la Internet y había encontrado un fascinante segmento de información. Nunca lo he olvidado, aunque nunca lo he hallado otra vez, excepto cuando apareció en la circular de la Clínica Nueva Vida Minirth-Meier de enero de 1995.

La ayudante nos dio el informe de un estudio que realizó la facultad de medicina de la Universidad Duke. Declaraba que la causa número uno de muertes en los Estados Unidos no era el cáncer, ni la enfermedad del corazón, ni el sida, ni ninguna de las otras causas de muerte que por lo común se citan. En lugar de considerar la enfermedad, los investigadores analizaron las actitudes y las emociones y descubrieron que la causa número uno de muertes era un espíritu no perdonador.

Los investigadores observaron lo que podría llamarse el «síndrome oculto de la muerte» relacionado con la falta de perdón. Decían que oculto detrás de la enfermedad cardíaca, el cáncer y las otras enfermedades fatales en nuestro país yace la mentalidad emotiva de no perdonar.

¿Qué le pasa a nuestro cuerpo cuando no perdonamos? Vivimos en un estado de estrés que al final nos conduce al agotamiento físico y emocional. Un simple ejemplo es lo que pasa cuando tenemos un conflicto sin resolver con alguno de la iglesia. Quizá no pensemos en esto de manera consciente, pero a medida que nos preparamos para ir a la iglesia, la tensión y el estrés comienzan a intensificarse dentro de nosotros. Cuando llegamos, tenemos el cuidado de estacionar en un lugar que esté lejos de donde estaciona a menudo la otra persona. Entramos a la iglesia por una puerta diferente, y si vemos a la otra persona, cambiamos de rumbo y evitamos verla.

¿Qué está gobernando nuestra vida en ese momento? Es evidente que no somos nosotros. Nuestro comportamiento lo determina nuestro deseo de evitar toparnos con la otra persona. Cuando al fin tomamos asiento, nos ponemos a rumiar el agravio que sufrimos a manos de la otra persona y sentimos una abrasadora sensación de enojo.

Siempre que sentimos un persistente sentimiento de estrés o tensión, o luchamos con sentimientos de enojo a largo plazo, se liberan varias hormonas en nuestro cuerpo. Una es la adrenalina, que en niveles significativos en la sangre puede tener serias consecuencias para el corazón, el sistema nervioso y el sistema inmunológico cuando se mantiene por mucho tiempo. En las etapas tempranas, puede que experimentemos dolores de cabeza, tensión muscular, fatiga, problemas con el sueño, problemas digestivos, úlceras y, desde luego, depresión.

Si tomamos el Camino de la Negación o el Camino de la Amargura, y seguimos experimentando elevados niveles en la sangre de adrenalina y otras hormonas asociadas con la ira crónica, nuestra tensión sanguínea puede llegar a elevarse crónicamente, podemos desarrollar enfermedades del corazón o podemos llegar a ser más susceptibles al cáncer. Las investigaciones médicas ya no dudan de la conexión entre las actitudes de la falta de perdón y el enojo crónico de nivel bajo, y grandes formas de enfermedades; algunas investigaciones recientes ponen ahora mayor atención en el *grado* en que estas actitudes contribuyen a esas importantes enfermedades.

Un estudio de pacientes diagnosticados con cáncer terminal (que se esperaba que vivieran seis meses o menos) reveló que los que completaron un programa especial del control del enojo, junto con el tratamiento médico tradicional, eran más propensos a pasar a remisión que los que solo recibían el tratamiento médico tradicional. En ese programa, a los pacientes se les enseñaban diferentes maneras de enfrentar su enojo y se les daba un entrenamiento especial en cuanto a cómo pasar de una actitud no perdonadora a una actitud perdonadora.

Un análisis reiterado a largo plazo de esos pacientes reveló que muchos experimentaron remisión del cáncer durante varios años. Cuando volvió el cáncer, los investigadores descubrieron que la recaída se podía relacionar con un regreso a las antiguas maneras de enfrentar el enojo y el perdón. Un médico advirtió que el perdón, como lo enseñó Jesús, era el «consejo de salud de dos mil años de antigüedad».

Al comportamiento tipo A se le achacan un incremento en enfermedades cardiovasculares desde que se identificó como un estilo de vida. Algunos estudios más recientes realizados por Redford Williams han revelado que el comportamiento tipo A no es la única causa, sino que altas puntuaciones en una escala de «hostilidad» fueron el factor predictible[1]. La hostilidad es un enojo a largo plazo que muy bien puede ser sinónima de amargura. Las personas tipo A escogen, casi por naturaleza, el Camino de la Amargura, pero cuando se les enseña las maneras de reducir su hostilidad y practican un patrón de perdón, pueden convertirse en personas saludables del tipo A.

Un estudio del efecto del perdón en adultos mayores reveló que mientras más eran capaces de perdonar ofensas en su juventud, mejor era su salud física en la vejez. Un interesante descubrimiento en este estudio fue que la motivación para perdonar era importante también. Perdonar solo por el beneficio personal no era efectivo. Uno tenía que perdonar por el bien del ofensor, o porque creyera que el perdón era lo debido: un acto de obediencia. Tenían que «perdonar de corazón», como nos instruyó Jesús.

Al parecer, existen dos maneras en que el perdón nos da beneficios físicos. Una es a través de la reducción del estrés. Cuando optamos por no perdonar, terminamos con una «potente mezcla de amargura, enojo, hostilidad, odio, resentimiento»[2] y el temor de que nos ocurra lo mismo de nuevo. Estas emociones negativas incrementan nuestra tensión sanguínea y conducen a cambios hormonales que están vinculados a enfermedades cardíacas, al deterioro de nuestro sistema inmunológico y hasta al deterioro de las funciones neurológicas, incluyendo nuestra memoria. A la larga, esto siempre nos conduce a algún tipo de problema de salud.

La segunda manera en que el perdón nos da beneficios físicos es que perdonando a las personas tenemos redes sociales más fuertes. Y las personas que tienen amistades y redes familiares sólidas son físicamente más saludables. En parte, esto se basa en la investigación de Charlotte VanOyen Witvliet, del Hope College en Holland, Michigan, quien dijo que el perdón «se debe incorporar a la personalidad de uno, a la forma de vida, no simplemente en respuesta a resultados específicos»[3]. Otro escritor estima el perdón «como el *tofú* del alma, una saludable alternativa a la carne roja del enojo y la venganza»[4]. Sugirió que el perdón es un acto que siempre beneficia al perdonador.

BENEFICIOS EMOCIONALES

En un intento de ver que el perdón ayudaba en realidad a las personas, un grupo de investigadores diseñó con esmero un proyecto donde podían procurar ver si alguna de dos variables específicas ayudaban de verdad a las personas a ser más perdonadoras[5].

Una variable fue la *empatía*. Al considerar este factor, intentaban medir cuánto la persona podía identificarse con los problemas y flaquezas del ofensor en un nivel emocional. A la otra variable se le llamó *toma de perspectiva*. Aquí la medida era de cuánto la persona podía identificarse con el ofensor en el nivel mental.

Formaron tres grupos al azar. A cada uno de los primeros dos grupos se les enseñó una de las destrezas . El primer grupo pasó por una serie de ejercicios preparados para ayudar a las personas a perdonar al convencerlas de que la venganza y la negación del perdón les hacían daño. Los investigadores les pusieron al segundo grupo ejercicios que procuraban generar empatía en el miembro del grupo por el ofensor. El tercer grupo fue un patrón de comparación; ese grupo no realizó ningún tipo de ejercicio. (Practicaron los ejercicios después que se terminó el proyecto).

Cuando los resultados de los dos primeros grupos se compararon con los del grupo de comparación, se descubrió que ambos métodos fueron eficaces en ayudar a la gente a perdonar. Sin embargo, también descubrieron que la habilidad de sentir empatía por el ofensor, que también involucraba algo de la toma de perspectiva de la otra persona, se relacionaba de forma más directa con la habilidad de la persona para perdonar.

La empatía y la toma de perspectiva son dos destrezas que se encuentran en las personas con madurez emocional. La empatía es comprensión emocional del ofensor, mientras que la toma de perspectiva es la comprensión cognitiva y mental. Mientras más seamos capaces de ponernos en el lugar de la otra persona, mejor será la calidad de nuestras relaciones y nuestra salud mental.

A fin de ayudar a la gente a personalizar el proceso de perdonar a alguien que la ha herido de manera profunda, a menudo les pido que usen su imaginación con el propósito de visualizarse teniendo una conversación con Jesús. En esa conversación mental, le cuentan a Jesús cuánto los ha herido la otra persona. Después de un rato, les pido que le pregunten a Jesús por qué la otra persona les haría tal cosa. Y luego les dejo que escuchen en silencio la voz interna de Jesús ayudándoles a ver el problema desde la perspectiva de la otra persona.

Recuerdo que hicimos esto con uno de nuestros hijos adultos. Nos había herido a todos profundamente, y Jan y yo luchábamos con sentimientos de enojo y dolor. Una vez, mientras guiaba a un grupo a través del ejercicio de la imaginación, Jan lo practicó también y le habló a Jesús de ese hijo. Y cuando le preguntó a Jesús por qué ese hijo actuaba de esa manera, lo que escuchó fue una descripción de los temores de ese hijo: heridas y luchas de la vida. Mientras ella y yo conversábamos al respecto, ambos pudimos comprender algo del dolor que nuestro hijo estaba experimentando y logramos liberar nuestro enojo y perdonar.

Mucho de lo que Peter Bliss ha descubierto en su trabajo con los hombres en la Misión Rescate es que cuando esos hombres logran perdonar las afrentas del pasado, se liberan y pueden comenzar a experimentar las oportunidades de la vida en el presente. También desarrolló un programa para parejas de cancelación de deudas, y más recientemente ha estado presentando este programa a todo el cuerpo de la iglesia. Como he hecho este programa de cancelación de deudas con grupos de JuCUM, en diferentes partes del mundo, los resultados han sido muy similares. Cuando uno perdona a otros una gran herida, de veras hay liberación. Se rompe la esclavitud del pasado.

A menudo creemos que retenemos o recuperamos poder y control cuando negamos el perdón, pero ese es un falso sentido de control. Pensamos que tenemos el control, pero lo cierto es bastante opuesto. Cuando perdonamos, recuperamos el dominio propio entregando el control. Este principio se demostró en un estudio de personas a las que el divorcio las había herido hasta lo más profundo. El investigador descubrió:

En esas personas que perdonaron de corazón, su sentido de poder personal se incrementó con el tiempo. Se sintieron más en control de sus decisiones personales, finanzas, sentimientos y reacciones ante el ofensor. Los que no perdonaron, o que perdonaron por temor o por deseo de ganancia personal, descubrieron que su sentido de poder *decreció* con el tiempo[6].

El perdón restaura la sensación de que tenemos cierto poder sobre lo que nos sucede en la vida.

BENEFICIOS RELACIONALES

Quizá uno de los mayores beneficios que podemos experimentar cuando perdonamos es la posibilidad de restaurar relaciones. El perdón es un ingrediente esencial para un matrimonio bueno, satisfactorio y feliz, y familias buenas, prósperas y felices. En las familias donde se enseña el perdón de palabra y con el ejemplo, los resultados negativos son mínimos. El perdón es lo opuesto a la negación y los secretos de familia, los cuales contribuyen a incrementar los problemas familiares. El perdón genuino nunca elimina el ser responsables ante otros; la responsabilidad se da por sentado. Sin embargo, el perdón genuino con responsabilidad en las relaciones siempre abre nuevas posibilidades de mayores niveles de confianza e intimidad.

La reconciliación en las relaciones solo es posible cuando ha habido perdón. Como hemos señalado, no todas las relaciones pueden ni deben restaurarse, pero cuando se perdona, siempre queremos considerar la posibilidad de la reconciliación. «La conexión es preferible al individualismo; la solidaridad humana es nuestra meta y no el aislamiento; los sistemas de comunicación abiertos son más saludables que los cerrados y que las relaciones desconectadas. Un interés por sanar las cosas, una esperanza de

restauración y un propósito de reconexión influyen»[7] en todo lo
que hacemos como creyentes.

David expresó esto en el Salmo 133, donde dice:

> ¡Cuán bueno y cuán agradable es que los hermanos con-
> vivan en armonía! Es como el buen aceite que, desde la
> cabeza, va descendiendo por la barba, por la barba de
> Aarón, hasta el borde de sus vestiduras. Es como el rocío
> de Hermón que va descendiendo sobre los montes de
> Sión. Donde se da esta armonía, el SEÑOR concede
> bendición y vida eterna.

El apóstol Pablo nos insta a que «si es posible, y en cuanto
dependa de ustedes, vivan en paz con todos» (Romanos 12:18).
Una vez más, en 1 Tesalonicenses 5:13-15, nos insta a:

> Vivan en paz unos con otros. Hermanos, también les
> rogamos que amonesten a los holgazanes, estimulen a
> los desanimados, ayuden a los débiles y sean pacientes
> con todos. Asegúrense de que nadie pague mal por mal;
> más bien, esfuércense siempre por hacer el bien, no sólo
> entre ustedes sino a todos.

Jamás la venganza, o la represalia, es parte de nuestro estilo
de vida, pero el perdón siempre debe estar presente.

BENEFICIOS ESPIRITUALES

Ya hemos señalado lo que pasa cuando abrigamos un espíritu de
falta de perdón hacia personas de nuestra iglesia. Imagine lo que
pasa durante la adoración. ¿Cómo podemos adorar bien cuando
nos aferramos al rencor contra un hermano? No podemos. Es
por eso que Jesús nos instruye:

*El perdón genuino
nunca elimina el ser
responsables ante otros.*

Por lo tanto, si estás presentando tu ofrenda en el altar *[o estás presentando tu adoración en canción en la iglesia]* y allí recuerdas que tu hermano tiene algo contra ti, deja tu ofrenda allí delante del altar. Ve primero y reconcíliate con tu hermano; luego vuelve y presenta tu ofrenda (Mateo 5:23-24).

Note que Jesús se estaba refiriendo a nosotros como los ofensores. Como ofensores, nuestro deber es ir y arreglar las cosas. No obstante, si abrigamos un espíritu no perdonador, nos convertimos en colaboradores en la ofensa y tenemos que confesar nuestro espíritu de falta de perdón y reparar la falta. Cuando no hacemos esto, comenzamos a aislarnos, no solo de la otra persona, sino también de la relación con Dios. Nuestras oraciones se tornan vacías y nos sentimos hipócritas. Las Escrituras están carentes de significado para nosotros. Nos irritan otros creyentes. Empezamos a dudar de nuestra fe y de la vida.

Cuando rendimos nuestro espíritu no perdonador, experimentamos nueva libertad en nuestra vida personal y un nuevo significado en nuestra vida espiritual. No nos sentimos tan aislados. Estamos más en paz con nuestra fe y nuestras creencias. Sentimos como que Dios está allí, presente en nuestra vida, y que tenemos una perspectiva más amplia de la vida que añade significado a la nuestra.

EN CONCLUSIÓN

Al perdón se le está dando una buena publicidad en estos días en el ambiente secular. En consejería, los terapeutas e investigadores seculares consideran el perdón como un poderoso medio terapéutico que tiene efectos muy positivos.

Sin embargo, debemos tener el cuidado de no sacar el perdón de su contexto espiritual, debido a que el perdón solo se puede comprender en el contexto del perdón que recibimos de Dios. Las raíces teológicas y espirituales del perdón son las que le dan poder sanador. Aparte de eso, el perdón puede ser de ayuda, pero nunca al mismo grado que cuando se conecta a la realidad del perdón que nos da Dios.

Dios anhela que seamos personas perdonadoras. Los consejeros y los pastores necesitan dar ejemplo de perdón; las familias necesitan acostumbrase a dar ejemplo de perdón; las parejas necesitan dar el ejemplo perdonándose unos a otros a fin de forjar matrimonios fuertes. Nosotros solo podemos dar ejemplo de perdón cuando sabemos perdonar. Cuando logramos reconocer nuestra pecaminosidad y ver la universalidad del pecado, somos menos propensos a desarrollar un espíritu condenador. Siempre que experimentemos una herida profunda en nuestras almas por la acción de otro, tenemos que decidir el camino que vamos a tomar. Procure tomar el buen camino: ¡el Camino del Perdón!

Cuando dirigíamos un seminario en la iglesia en Michigan, se me pidió que escribiera la oración de confesión para el culto de adoración de la mañana. Esta es mi oración para mí y para usted que ha leído este libro:

> *Padre Dios, te confesamos nuestras transgresiones,*
> *conociendo tu benévolo perdón. Sin embargo,*
> *algunas transgresiones no son tan obvias,*
> *ni siquiera para nosotros mismos.*

> *Confesamos que muchas veces tenemos un espíritu*
> *no perdonador. Buscamos la venganza que solo*
> *te pertenece a ti. En silencio alimentamos*
> *el dolor que nos han causado los pecados cometidos*
> *contra nosotros. A veces hasta disfrutamos*
> *de los sentimientos de superioridad que*
> *pueden surgir de ser víctimas de otros.*

Reconocemos estos tipos de pecados también,
los pecados que cometen contra nosotros,
y cómo muy a menudo pecamos en respuesta a esos agravios.

Pero tú en tu gracia perdonas todos nuestros
pecados y nosotros, con acción de gracias,
aceptamos tu perdón y oramos que formes en nosotros
un espíritu perdonador. En el nombre de tu Hijo Jesús,
quien pagó el precio de nuestro perdón.

Amén.

CAPÍTULO DIEZ

PREGUNTAS QUE A MENUDO SE HACEN SOBRE EL PERDÓN

Mientras viajo y hablo sobre el perdón, parece que las mismas preguntas surgen invariablemente de la audiencia. Aun cuando ya hemos discutido la mayoría de estos puntos en el libro, escuchar la información en respuesta a estas preguntas quizá ayude a reforzar las respuestas.

PRIMERA PREGUNTA:
¿Existen casos en que el daño que ha hecho un ofensor es tan severo que es inapropiado el perdón?

Aunque quizá sintamos que el perdón es imposible cuando comenzamos a considerar las profundas heridas que nos infligieron, es importante comprender que no hay nada que pueda pasar en la vida que esté más allá de nuestra capacidad de perdonar. Debemos poner siempre nuestra capacidad de perdonar en el contexto de cuánto se nos ha perdonado a nosotros. Esa es una de las principales enseñanzas de la parábola de Jesús en Mateo 18 en cuanto al siervo que no perdonó. Era un hombre al que se le había perdonado una deuda que jamás podría pagar. El no interiorizar la realidad de su perdón le impedía perdonar a su amigo. Jesús dijo con claridad que cuando comparamos lo que se nos pide perdonar —aun el peor pecado posible contra nosotros— es menos de lo que Dios nos ha perdonado a nosotros en Cristo. Es en gratitud por su perdón que podemos perdonar siempre.

Es importante recordar que mientras más profunda sea la herida y cuanto más temprano suceda en nuestras vidas, más tiempo necesitamos para completar el proceso del perdón. Nosotros tenemos siempre el llamado a perdonar, pero el margen de tiempo para ese perdón variará con la severidad de la ofensa.

SEGUNDA PREGUNTA:
¿Y si el que me hirió busca mi perdón y no estoy listo aún para perdonar?

Aquí es donde nos ayuda nuestra comprensión de las tres etapas del perdón. Este comienza con la decisión de perdonar; luego viene el proceso de perdonar en el que se incluye la aflicción por la pérdida; y por último, la tercera etapa donde finalizamos el perdón. Cuando alguien se da cuenta enseguida que nos ha agraviado, y busca nuestro perdón mientras estamos aún en la primera etapa, reaccionando a la herida, podemos decir con mucha sencillez algo así: «Sí, te voy a perdonar, pero aún no estoy muy preparado. Primero necesito analizar bien algunos sentimientos». Un ejemplo sería si alguno le causa severos daños físicos y luego se da cuenta de lo que hizo y le pide perdón enseguida. En ese momento, es probable que usted no esté listo para aceptar la disculpa. De la misma manera, cuando el dolor afecta de manera profunda nuestras emociones, necesitamos algún tiempo para sanar antes de que estemos listos para ocuparnos del perdón.

Al mismo tiempo, tiene que haber límites en el plazo para rumiar nuestro dolor. Aquí es cuando nos hacen falta algunos compañeros de confianza que nos acompañen en el camino y nos mantengan en el proceso del perdón.

TERCERA PREGUNTA:
¿Qué si completar mi proceso del perdón significa la posibilidad de revelar algunos secretos de familia que hieran a otros?

Esta es una pregunta importante que surge a menudo. A veces, cuando hemos sido víctimas de abuso en la familia, queremos en algún momento enfrentarnos al abusador. Ese posible enfrentamiento puede sacar a la luz secretos de familia. O quizá nosotros hemos sido los ofensores en cierto sentido secretos, como en el caso de amoríos ilícitos, y al querer perdonarnos a nosotros mismos, sentimos la necesidad de confesar lo que hasta ese momento ha sido un secreto.

Tenemos que comprender nuestros motivos. A veces nuestro deseo de enfrentamiento es un deseo oculto de venganza. O nuestra necesidad de confesar en realidad es que nos hace falta transferir nuestros sentimientos de culpa o librarnos de ellos. De cualquier manera, necesitamos considerar lo que podría provocar la revelación del secreto.

Por otra parte, una familia está tan enferma como sus secretos. Y la salud de la familia requiere a menudo que saquemos el secreto de las tinieblas a la luz. Una mujer me contó en una conferencia que varios años antes había tenido un breve amorío. Le había confesado su pecado al Señor, pero su esposo nunca se había enterado del asunto. Quería confesarle lo que había hecho. Estuve de acuerdo con que necesitaba confesarlo, pero le sugerí que esperara, y mientras esperaba, que orara por una muy clara y específica oportunidad que le diera Dios de confesarlo.

Algunos meses más tarde me escribió y me dio las gracias por lo que le sugerí. Dijo que había orado, y unos meses después, Dios le dio la oportunidad perfecta para confesarlo. Su esposo fue capaz de escucharla y perdonarla, y ambos experimentaron una gran renovación en su matrimonio.

Una de las razones de la espera a fin de pensar en la reconciliación hasta después que se ha perdonado es que, una vez que se ha perdonado, nuestras expectativas se reducen en gran medida. Además, nos da tiempo para sanar, y comprender con mayor exactitud nuestros motivos, así como para esperar que Dios nos diga que es el tiempo adecuado para sacar el secreto a la luz.

CUARTA PREGUNTA:
No parece justo que yo sea el herido
y que también sea el que tenga que buscar
que se produzca el perdón.
El ofensor parece salir muy bien librado.

¡No es justo! Sin embargo, recuerde que el único beneficiado del perdón es el que perdona. Nuestro perdón al ofensor no lo beneficia en ninguna manera. Uno pudiera decir que el perdón es un acto muy «egoísta», o quizá una mejor expresión sería decir que es «por interés». Es egoísta en que se enfoca en nosotros, pero es también por interés en que somos los que nos liberamos. Somos los beneficiados de manera física, emocional y espiritual.

Lewis Smedes dice que «el perdón es la *única* manera de que se sea más justo en nuestro mundo injusto; es la inesperada revolución del amor en contra del injusto dolor y lo único que ofrece la firme esperanza de sanar las heridas que tan injustamente sentimos»[1]. No modificamos el pasado: lo aceptamos.

QUINTA PREGUNTA:
¿Cómo puedo saber que el ofensor
es sincero cuando pide perdón?

Desde luego, esto da por sentado que el agraviante está buscando el perdón, lo que, como hemos señalado, no ocurre siempre. Sin embargo, cuando el agraviante viene a nosotros y pide perdón, solo el ofendido puede determinar la sinceridad de la disculpa. Esto puede ser difícil debido a que casi siempre el agravio nos causa la pérdida de la confianza en la otra persona. La confianza solo se rehace con el tiempo y se restaura a medida que vemos la coherencia en la otra persona y una disposición a hacer cualquier cosa que se necesite para restaurar la relación. Esto exige un enfrentamiento con el agraviante a fin de que nos muestre un pesar genuino por lo que pasó. Necesitamos escuchar también a nuestros corazones, pues muchas veces tenemos que aprender, además, a confiar de nuevo en nuestros instintos mientras escuchamos los esfuerzos del agraviante por reparar las faltas.

Pero el problema siempre se ve complicado por el hecho de que nunca sabemos con certeza la motivación de la otra persona. Solo con el transcurso del tiempo podemos comprobar su sinceridad. No obstante, si usted está trabajando con un consejero en el proceso, puede ser de ayuda tener una persona objetiva de fuera que le pueda ayudar a evaluar la sinceridad del que se disculpa. Puede incluso pedirle al ofensor que vaya con usted a la próxima sesión a fin de disculparse delante del consejero, quien puede darle su opinión de la sinceridad de la disculpa. Es probable que solo haga esto con un consejero cuando la relación sea importante y el ofensor esté dispuesto.

Sexta pregunta:
¿Qué hago si todavía no quiero perdonar?

Cuando todavía estamos renuentes a perdonar, necesitamos hacernos varias preguntas. En primer lugar: ¿Estamos tratando de protegernos de futuras afrentas al no querer perdonar? ¿Estamos tratando de perdonar algo que está pasando y necesita establecer antes algunos límites saludables? ¿Se siente fortalecido al no perdonar? En otras palabras, necesita examinar lo que lo está sujetando, además del agravio, que está bloqueando su capacidad de avanzar hacia el perdón.

La otra cosa que debe hacer en este momento es pasar algún tiempo comprendiendo cómo Dios lo ha perdonado a usted. Recuerde que cuando era enemigo de Dios, no era digno de que

NOTAS

Capítulo uno

1. Pat Conroy, *The Princes of Tides*, Bantam Dell Publishing Group, Nueva York, 1987.

2. Joyce Hollyday, «Hearts of Stone», *Sojourners Magazine*, marzo-abril de 1998.

3. Citado en David Augsburger, *Perdonar para ser libre*, Editorial Portavoz, Grand Rapids, MI, 1977, p. 15 (del original en inglés).

4. *Ibíd.*, p. 46.

5. *Webster's College Dictionary*, entrada «perdón».

Capítulo tres

1. «An Unnatural Act», *Christianity Today*, 8 de abril de 1991, p. 36.

Capítulo cuatro

1. Becky Burker, *Holland Sentinel*, 16 de mayo de 1999, sección E, p. 1.

2. Simón Wiesenthal, «El Girasol», de *Los límites del perdón*, Editorial Paidós Ediciones, Buenos Aires, Argentina, 1998, p. 42 (del original en inglés).

3. *Ibíd.*, pp. 53-54 (del original en inglés).

4. *Ibíd.*

5. *Ibíd.*, p. 98 (del original en inglés).

6. *Ibíd.*, p. 220 (del original en inglés).

7. *Ibíd.*, p. 121 (del original en inglés).

8. *When Forgiveness Seems Impossible* [Cuando perdonar parece imposible], RBC Ministries, Grand Rapids, MI, 1994.

9. *Ibíd.*

10. Wiesenthal, «El Girasol», p. 211 (del original en inglés).

Capítulo cinco

1. Virgil Elizondo, «I Forgive but I Do Not Forget», en Cassiano Floristan y Christian Duquoc, *Forgiveness*, T & T Clark, Edimburgo, 1986.

Capítulo siete

1. P.A. Mauger y otros, «The Measurement of Forgiveness: Preliminary Research», *Journal of Psychology and Christianity* 11, 1992, pp. 170-80.

Capítulo ocho

1. David Augsburger, *Perdonar para ser libre*, Editorial Portavoz, Grand Rapids, MI, 1977, pp. 107-108 (del original en inglés).

2. William Barclay, *The Gospel of Matthew*, volumen dos, The Saint Andrew Press, Edimburgo, 1957, p. 160.

Capítulo nueve

1. Redford Williams y Virginia Williams, *Anger Kills*, Random House, Nueva York, 1993.

2. Jordana Lewis y Jerry Adler, «Forgive and Let Live», *Newsweek*, 27 de septiembre de 2004, p. 52.

3. *Ibíd.*

4. *Ibíd.*

5. Michael E. McCullough, Steven J. Sandage y Everett L. Worthington, hijo, *To Forgive Is Human*, InterVarsity Press, Downers Grove, IL, 1997, p. 192.

6. *Ibíd.*, p. 201.

7. David Augsburger, *Perdonar para ser libre*, Editorial Portavoz, Grand Rapids, MI, 1977, p. 147 (del original en inglés).

Capítulo diez

1. Lewis Smedes, *Forgive and Forget*, Harper and Row, San Francisco, 1984, p. 124.